Mitología nativa americana

Mitos fascinantes de los pueblos indígenas de América del Norte

Índice

INTRODUCCIÓN 1

PARTE I: ORÍGENES 5

PARTE II: FANTASMAS Y MONSTRUOS 22

PARTE III: CUENTOS DE ARTIMAÑAS 49

PARTE IV: CUENTOS DE HÉROES 68

VEA MÁS LIBROS ESCRITOS POR MATT CLAYTON 87

BIBLIOGRAFÍA 88

Introducción

Los humanos han estado viviendo y contando sus historias en Norteamérica desde el final de la última Edad de Hielo. Los artefactos humanos más antiguos encontrados hasta ahora parecen datar de hace unos 15.000 años. Los arqueólogos asumen que los primeros humanos cruzaron el estrecho de Bering desde Asia mucho antes que eso, y luego se dirigieron al sur y al este en grupos de cazadores-recolectores. Los pueblos indígenas de hoy en día son los descendientes de aquellos primeros exploradores.

Sin embargo, la historia de la población de las Américas puede no ser tan sencilla. El autor Craig Childs, en su reciente libro *Atlas de un mundo perdido*, dice que las pruebas disponibles indican un cuadro mucho más complicado de lo que la simple historia del estrecho de Bering parecería pintar. Childs afirma que hubo más de un acontecimiento migratorio, que las migraciones iniciales hacia América probablemente siguieron las rutas de aguas costeras entonces disponibles, y que algunos migrantes podrían incluso haber venido de Europa así como de Asia.

Sea cual fuere la verdadera historia, lo que siguió de los movimientos de esos pueblos cazadores-recolectores de la Edad de Hielo fue una gran proliferación de culturas e idiomas. La miríada de culturas y sociedades que vivieron en América del Norte durante miles de años antes del advenimiento de los exploradores y colonizadores europeos desarrollaron sus propias formas de ver el mundo y de vivir dentro de los entornos que llamaban hogar. También desarrollaron sofisticados sistemas de acuicultura, agricultura, caza, cría de animales y gestión de la tierra de acuerdo con los recursos de que disponían.

Parte de la historia de las culturas indígenas es, por supuesto, sus tradiciones de contar historias. Los mitos, las leyendas y los cuentos populares desempeñan un papel importante en la explicación de cómo el mundo llegó a ser como es, así como en el entretenimiento de los oyentes con historias humorísticas o de miedo, o en los modelos a seguir en los cuentos de héroes. Y uso la palabra "oyentes" a propósito, ya que estas historias se transmitieron primero oralmente, de narrador a oyente. En su mayoría, los pueblos indígenas no utilizaban la escritura para grabar estos cuentos, y con muy pocas excepciones, no parece haber existido ningún sistema de escritura para las lenguas indígenas hasta después de la llegada de los misioneros y colonos blancos.

Estas tradiciones narrativas son muy ricas, con miles y miles de historias de cientos de culturas diferentes. Debido a esta increíble variedad, este libro no proporciona más que la más simple muestra de un amplio espectro de mitos y leyendas, y no pretende en absoluto que esa muestra sea representativa. Dicho esto, me he esforzado por proporcionar al menos un mito de cada grupo cultural importante de América del Norte: Ártico, Subártico, Meseta, Costa Noroeste, Gran Cuenca, Grandes Llanuras, California, Suroeste, Sureste y Bosque del Noreste.

De los muchos géneros de historias disponibles, he elegido cuatro para este volumen. El primero tiene que ver con los orígenes de las cosas, ya sea del mundo en su totalidad o de algún aspecto del mismo que fue significativo para la gente que creó la historia. El otro lado de la creación es la muerte, por lo que la segunda sección se refiere a las historias de fantasmas y monstruos, algunas aterradoras, otras amigables, algunas víctimas de bromas de personas vivas. Sin embargo, de los actos de destrucción llevados a cabo por seres sobrenaturales, a menudo hay algo nuevo creado o un cambio realizado que es necesario para que el mundo funcione correctamente.

Embaucadores y héroes ocupan la tercera y cuarta sección del libro, respectivamente. El coyote es, por supuesto, el personaje favorito de los embaucadores para la mayoría de los grupos indígenas de América del Norte, mientras que el cuervo es importante para los pueblos del noroeste del Pacífico y las regiones árticas. El castor es un embaucador para los nez percés de la meseta del río Columbia, y para los pomo de California, la pequeña rata de madera también vive de su ingenio. Estos embaucadores son por tanto inteligentes, crédulos, vencedores y víctimas, pero siempre hay una lección moral por aprender de las historias de sus aventuras.

La última sección del libro presenta historias de héroes indígenas. Muchos de estos héroes son compartidos por múltiples culturas, generalmente dentro de la misma área cultural o en áreas culturales adyacentes. Manabozho, el héroe menomini, es honrado por los ojibwa y muchos otros pueblos de habla algonquina, que lo conocen como Nanabozho o Nanabush. Glooscap es el héroe favorito de los pueblos wabanaki de las provincias marítimas del noreste de los Estados Unidos y el Canadá. Tanto Manabozho como Glooscap, además de hacer las habituales cosas heroicas como luchar contra los monstruos y hacer magia, son seres poderosos que también participan en la creación del mundo. Otros héroes, como Coágulo de Sangre de la Gran Cuenca y las Grandes Llanuras, son seres con orígenes sobrenaturales, pero no son en sí mismos seres creadores. Sin embargo, no todos los héroes son seres sobrenaturales poderosos: la Mujer Valiente Hunkpapa puede haber sido una figura histórica real.

Pero lo más importante de todas estas historias y de muchas otras contadas por los pueblos indígenas es que son parte de una tradición viva real, no parte de un pasado oscuro y nebuloso de culturas que ya no existen hoy en día. Esta tradición viva muestra la resistencia de las culturas indígenas, que han sobrevivido a la colonización, a la introducción de enfermedades europeas, al robo de sus tierras y recursos, y a los actos de genocidio por parte de los blancos y sus gobiernos. Estas historias nos dicen algo sobre el pasado de los pueblos indígenas, pero también son parte del presente indígena y esperamos que también sean parte del futuro.

Parte I: Orígenes

La creación cheroqui *(Cheroqui, Sureste)*

El relato cheroqui de cómo se creó el mundo es un ejemplo de lo que los folcloristas llaman un "mito del buzo terrestre". En este tipo de mitos, una criatura o ser se sumerge en las aguas primordiales y saca a la superficie una sustancia que luego se transforma en tierra, lo que pone en marcha el proceso de creación. El buzo terrestre en los mitos de algunas tribus es una tortuga, mientras que en otros es una rata almizclera o un ave acuática. El buzo terrestre cheroqui es un escarabajo de agua, que va en busca de otras criaturas para sacar el trozo de barro que se convierte en la tierra.

Mientras que en los mitos de creación europeos, una deidad o grupo de deidades crean el mundo ejerciendo su poder o voluntad, en el relato cheroqui el proceso de creación es iniciado por las propias criaturas. Los insectos, animales y pájaros trabajan en armonía con el Gran Espíritu para dar forma al mundo y darle vida, incluyendo la corrección del error del Gran Espíritu de haber colocado el sol demasiado cerca del suelo. A diferencia de los animales y los pájaros, que existían antes del mundo mismo, los seres humanos son recién llegados y deben ser creados de la nada por el Gran Espíritu.

Una vez hubo un tiempo en el que no había tierra en absoluto. Todo estaba cubierto de agua, y todas las criaturas vivían en Galunlati, un lugar que está por encima del cielo. Galunlati era un lugar agradable, pero pronto se llenó de gente, y las criaturas eran infelices.

—¿Qué haremos?—dijeron las criaturas—. Somos tantos que apenas podemos movernos.

—¡Ya sé!—dijo uno de ellos—. Pidámosle al escarabajo de agua que vaya al agua de abajo y veamos qué puede hacer al respecto.

El escarabajo de agua estuvo de acuerdo con este plan. Dejó Galunlati y se sumergió en las aguas. Nadó un poco, pero no vio nada que pareciera un buen lugar para vivir, así que se sumergió más profundamente. Bajó, bajó y bajó hasta al fondo del mar. Recogió un poco de barro en sus mandíbulas y lo llevó a la superficie. Cuando el escarabajo de agua llegó a la superficie con el barro, este comenzó a extenderse en todas las direcciones. El barro extendido se convirtió en una isla, y el Gran Espíritu lo aseguró usando cuerdas para atarlo a la bóveda del cielo.

Esta nueva isla era muy buena, y era bastante segura, pero el suelo era demasiado blando para que la mayoría de las criaturas vivieran en él. Las criaturas decidieron enviar a buitre para ver si podía hacer algo para arreglar eso. El buitre voló en círculos, pero no encontró ningún lugar lo suficientemente seco para aterrizar. Voló un poco más y finalmente encontró un lugar lo suficientemente seco para aterrizar. El lugar donde aterrizó el buitre se convirtió en el hogar de los cheroquis, y el batir de las alas de buitre mientras aterrizaba empujó el barro en algunos lugares y lo empujó hacia abajo en otros, formando las colinas, montañas y valles del mundo.

Finalmente la nueva tierra estaba lo suficientemente seca para que todas las criaturas pudieran caminar sobre ella. Bajaron de la bóveda del cielo y miraron alrededor de su nuevo hogar. Era lo suficientemente sólido, pero estaba muy oscuro. A las criaturas no les gustaba la oscuridad, así que invitaron al Sol a bajar y unirse a ellos. Él vino y aceptó atravesar un camino particular cada día para dar luz al nuevo mundo.

Todos, excepto el cangrejo, estaban felices por la luz que el Sol les dio. Hacía demasiado calor para él—. ¡Miren mi hermosa concha!— gritó—. ¡Miren! Se ha vuelto rojo brillante porque el Sol está demasiado caliente. ¿Alguien puede ayudarme?

Las criaturas se apiadaron del cangrejo y elevaron un poco más al Sol. Todavía estaba demasiado caliente. Así que elevaron el Sol un poco más. Todavía estaba demasiado caliente. Siete veces empujaron al Sol un poco más arriba en el cielo. Después de la séptima vez, el Sol estaba finalmente en el lugar correcto.

Ahora que había tierra, agua y luz, el Gran Espíritu decidió hacer crecer plantas en la nueva tierra. Cuando todas las plantas fueron hechas, les dijo a ellos y a todos los animales que debían permanecer despiertos durante siete días enteros. Los animales hicieron todo lo posible, pero el único que pudo mantenerse despierto todo el tiempo fue el búho. Como tuvo éxito, el Gran Espíritu le dio al búho el poder de ver en la oscuridad. Las plantas también lo intentaron, pero solo los pinos, abetos, acebos y algunos otros pudieron mantenerse despiertos todo el tiempo. El Gran Espíritu les dio el don de mantener sus hojas todo el año.

Una vez que todas las plantas fueron hechas, el Gran Espíritu decidió que debería haber gente en el mundo. El Gran Espíritu hizo un hombre y una mujer. Cuando el hombre y la mujer fueron creados por primera vez, no sabían cómo hacer niños de la manera habitual. La primera vez que hicieron niños, el hombre tomó un pez y lo empujó contra el vientre de la mujer. Entonces la mujer dio a luz a un niño. Hacían esto cada siete días. Después del séptimo día, el Gran Espíritu pensó que era suficiente por ahora, y lo hizo de manera que las mujeres solo pudieran tener un hijo una vez al año.

El gemelo bueno y el gemelo malo *(Yuma, Suroeste)*

El mito de la creación del pueblo Yuma de Arizona es muy diferente de la historia cheroqui. En el relato de Yuma, el creador es un ser dual sobrenatural, que tiene aspectos buenos y malos. Este ser surge de las aguas primordiales en su aspecto bueno primero, y cuando el aspecto malo trata de elevarse, el aspecto bueno se asegura que el malo se ciegue para limitar su poder.

Esta versión del mito se recogió después de la llegada de los europeos al territorio de Yuma. La historia de la creación de Yuma no solo explica cómo llegaron las personas, sino que también atribuye la creación de las culturas separadas a Kokomaht, el Padre Todopoderoso que es el principal creador del mundo. Una vez que los Yuma se encontraron con los blancos, aparentemente pensaron que era necesario incorporarlos a su mito de la creación.

Lo que los Yuma tienen que decir sobre los europeos no es halagador, y considerando la historia del comportamiento de los blancos hacia los pueblos indígenas, esto no es ni sorprendente ni irrazonable. Los blancos que aparecen en esta historia están pintados como egoístas, codiciosos, vanidosos y petulantes, y como intrusos no aptos para sobrevivir en el entorno desértico que habitan los Yuma, el entorno para el que los Yuma creen que fueron especialmente hechos por Kokomaht.

Al principio, lo único que existía era el agua. El cielo aún no se había hecho. La tierra aún no se había hecho. No había plantas, animales, peces ni personas. El cielo se hizo cuando las aguas se arremolinaron y giraron creando espuma y rocío. La espuma y el rocío se elevaron, arriba, arriba, y se convirtieron en el cielo.

Abajo, en el fondo de las aguas, había un ser que era uno y dos al mismo tiempo, y los dos eran gemelos. El nombre del ser era Kokomaht, que significa "todo padre".

Una segunda vez las aguas se arremolinaron. Se estrellaron y tronaron en grandes olas. Una vez más, el choque y el remolino de las aguas hicieron espuma y rocío. De las profundidades surgió un ser. Se levantó a través de las aguas con los ojos cerrados y empujó a través de la superficie. Luego se paró sobre la superficie de las aguas y miró a su alrededor. El ser se llamaba a sí mismo Kokomaht y era un buen ser.

Mientras Kokomaht miraba sobre las aguas y en el cielo, escuchó una voz que le llamaba desde las profundidades. La voz dijo—: ¡Mi hermano! Cuando subiste a la superficie, ¿mantuviste los ojos abiertos o cerrados?

Kokomaht sabía que la voz pertenecía a su hermano, y que su hermano tenía una naturaleza malvada. Kokomaht quería asegurarse de que su hermano pudiera hacer el menor daño posible, así que mintió y dijo—: ¡Oh, mantuve los ojos abiertos todo el tiempo!

El gemelo malvado creyó lo que dijo Kokomaht. Mantuvo los ojos abiertos mientras subía a la superficie, pero al hacerlo, se cegó a sí mismo. Kokomaht nombró a su gemelo Bakotahl, que significa "ciego".

Kokomaht decidió que era el momento de crear la Tierra. Primero, creó las cuatro direcciones. Dio cuatro pasos en una dirección, se detuvo, señaló la dirección en la que había estado yendo, y luego dijo—: Esto es el norte. —Luego volvió al centro de nuevo. Kokomaht dio la vuelta y fue en el sentido contrario. Dio cuatro pasos, señaló y dijo—: Esto es el sur. —Volvió al centro, y de la misma manera que creó el este y el oeste.

—Ahora es el momento de hacer la tierra—dijo Kokomaht, pero Bakotahl se opuso.

—Yo debería ser el que haga la tierra—dijo Bakotahl.

—No, yo lo haré—dijo Kokomaht, y entonces puso su mano en las aguas y comenzó a agitarse. Kokomaht revolvió y agitó las aguas, y pronto se agitaron tanto que una gran masa de tierra salió a la superficie. Kokomaht fue a la nueva tierra y se sentó.

Bakotahl estaba enfadado y envidioso de que su hermano consiguiera hacer la tierra, pero se guardó sus sentimientos para sí mismo. Bakotahl también subió a la nueva tierra y se sentó junto a Kokomaht. Bakotahl pensó para sí mismo: «Si no se me permite hacer la tierra, entonces haré que algunas personas vivan en ella».

Bakotahl cogió un puñado de barro y empezó a formar una criatura. Bakotahl le dio a la criatura una cabeza y un cuerpo. Le dio brazos y piernas. Pero se olvidó de poner los dedos de las manos y de los pies. La nueva criatura de Bakotahl era abultada e imperfecta, así que Bakotahl se avergonzó de ella y la escondió de su hermano.

Kokomaht dijo entonces—: Creo que haré que algunas personas caminen en esta nueva tierra. —Kokomaht tomó un puñado de barro y le dio forma de ser. Le dio una cabeza y un cuerpo. Le dio brazos y piernas. Puso dedos en las manos y los pies, y le dio al ser un rostro hermoso. Todo en el nuevo ser de Kokomaht era perfecto.

Cuando el ser estaba hecho, Kokomaht lo tomó y lo agitó cuatro veces hacia el norte. Kokomaht entonces puso al nuevo ser en la nueva tierra, y el ser cobró vida. Se puso de pie y caminó alrededor. Podía ver, oír, saborear y oler. Este ser fue el primer hombre. Entonces Kokomaht tomó otro puñado de barro e hizo una mujer de la misma manera que había hecho al hombre.

Bakotahl hizo otro intento de hacer gente. Cuando había hecho siete de sus criaturas grumosas e imperfectas, Kokomaht le preguntó qué estaba haciendo.

—Estoy haciendo gente—dijo Bakotahl.

—Hm—dijo Kokomaht—. Creo que les faltan algunas cosas importantes. Toma, siente la gente que hice. Tienen dedos en las manos y pies, y rasgos en sus caras. Los tuyos son grumosos y deformes. No serán capaces de cuidarse a sí mismos o a los demás. —entonces Kokomaht tomó su pie y pateó a los nuevos seres de Bakotahl al agua.

Cuando Bakotahl se enteró de lo que Kokomaht había hecho, se enfadó terriblemente. Bakotahl se zambulló en el agua y nadó hacia abajo, hacia las profundidades. Bakotahl hizo que las aguas se arremolinen y se eleven, y desde las profundidades envió un torbellino. Kokomaht vio el torbellino, y cuando se acercó lo suficiente, lo pisó y lo aplastó hasta la muerte. Pero no todo el torbellino fue aplastado; un pequeño trozo escapó de debajo del pie de Kokomaht, y de aquí es de donde vienen todas las enfermedades.

Todo lo que existía en la nueva tierra eran Kokomaht, el nuevo hombre y la nueva mujer, y ellos fueron los primeros Yumas. Kokomaht hizo más hombres y más mujeres. Los puso en parejas, y cada pareja se convirtió en los primeros de las nuevas tribus, los Cocopahs, Digueños y Mojaves. Una vez que Kokomaht había hecho cuatro pares de personas, descansó un poco. Cuando terminó de descansar, Kokomaht hizo los primeros hombres y las primeras mujeres para los Apaches, los Maricopas, los Pimas y los Coahuilas. De esta manera, Kokomaht hizo los primeros hombres y las primeras mujeres para veinticuatro tribus. Los blancos fueron los últimos que hizo.

El hombre de Yuma le dijo a Kokomaht—: No sabemos cómo vivir en este nuevo lugar. Por favor, enséñanos.

—Primero deben aprender sobre los niños—dijo Kokomaht, así que se hizo un hijo y lo llamó Komashtam'ho. Entonces Kokomaht le dijo a la gente—: Los hombres y las mujeres deberían vivir juntos y tener hijos juntos.

Kokomaht miró al cielo y a la tierra y a la gente que había hecho. Todo esto era bueno, pero sentía que su creación estaba incompleta—. ¡Lo sé!—dijo Kokomaht—. Mi nueva gente necesitará luz.

Kokomaht entonces creó la luna y la estrella del alba. Luego hizo todas las demás estrellas que brillan en la noche. Cuando esto terminó, Kokomaht miró todas las cosas nuevas que había hecho y dijo—: Creo que ya he creado suficientes. Mi hijo puede hacer más cosas nuevas si quiere.

Además de la tierra, la gente, la luna y las estrellas, Kokomaht había creado otros seres. Uno de ellos era Hanyi, la rana. Hanyi estaba muy celoso del poder de Kokomaht y nada le hubiera gustado más que destruirlo. Por supuesto que Kokomaht sabía lo que había en el corazón de Hanyi porque conocía los pensamientos de todos los seres que había creado. Kokomaht pensó: «Tengo una última lección que enseñar a mis nuevos seres, y haré que Hanyi me ayude. Debo enseñar a la gente cómo morir. Dejaré que Hanyi me mate».

Hanyi decidió que había llegado el momento de que intentara matar a Kokomaht. Se metió en la tierra bajo los pies de Kokomaht y aspiró todo su aliento a través de un agujero en la tierra que estaba allí. Cuando Hanyi había tomado todo el aliento de Kokomaht, Kokomaht se puso muy enfermo. Se acostó en la tierra. Llamó a toda la gente nueva que había hecho para que vinieran y vieran cómo morir. Todos vinieron excepto el hombre blanco. Se quedó en su propio país al oeste del mundo.

El hombre blanco era muy infeliz e insatisfecho con todo. También era muy codicioso, tomando lo que no le pertenecía sin preguntar. Un día, el hombre blanco se sentó a llorar porque no le gustaba su pelo rizado y rubio ni su piel pálida. Komashtam'ho se cansó de escuchar al hombre blanco compadeciéndose de sí mismo, así que cogió dos palos y los ató juntos en una cruz. Le dio los palos al hombre blanco—. Toma—dijo Komashtam'ho—. Toma estos. Puedes montarte en ellos. Deja de quejarte. —el hombre blanco cogió los palos y se puso a horcajadas. Los palos se convirtieron en un caballo, y durante un tiempo el hombre blanco dejó de llorar y quejarse.

Kokomaht estaba en el suelo, donde estaba mortalmente enfermo. Le dijo a la gente—: Esto es lo último que les enseñaré. Les enseñaré a morir. —cuando terminó de hablar, Kokomaht murió.

Cuando Kokomaht murió, Komashtam'ho comenzó a pensar en lo que le gustaría crear para este nuevo mundo que su padre había hecho. Pensó que quizás sería bueno tener tanto la noche como el día, así que escupió en su mano e hizo un disco con la saliva.

Komashtam'ho cogió el disco y lo tiró al este, donde empezó a brillar. Ahora el mundo tenía un sol, así como una luna y estrellas.

Komashtam'ho explicó a la gente que el sol se movería de este a oeste y que ahora habría día y noche. Para mostrarles cómo sería esto, tomó el sol y lo empujó bajo la tierra, haciendo que todo volviera a ser oscuro. Mientras estaba oscuro, Komashtam'ho hizo algunas estrellas más y las puso en el cielo—. Cuando el sol salga, será de día, y habrá mucha luz. No podrán ver las estrellas. Cuando el sol se ponga en el oeste, será de noche, y volverá a estar oscuro. Podrán ver las estrellas.

Cuando el sol estaba hecho, Komashtam'ho pensó en lo que debía hacer con el cuerpo de su padre. Decidió que lo mejor sería quemarlo en una pira, pero no había nada en la nueva tierra que se quemara, así que Komashtam'ho hizo madera. Amontonó la madera en una gran pira y puso el cuerpo de su padre encima.

Komashtam'ho sabía que el coyote probablemente intentaría algún tipo de truco con el cuerpo de su padre, así que le dio un palo al coyote y le dijo que fuera a buscar fuego del sol. Cuando el coyote se fue, Komashtam'ho mostró a la gente cómo hacer su propio fuego usando un trozo de madera con un agujero y otro palo. Komashtam'ho puso un extremo del palo en el agujero y lo giró entre sus manos hasta que una pequeña llama se encendió. Así es como la gente aprendió a hacer fuego. Entonces Komashtam'ho cogió la llama y la usó para encender la pira funeraria.

Toda la gente se reunió alrededor de la pira y la vio arder, pero no lloraron por Kokomaht porque aún no entendían que la muerte era para siempre. Cuando la pira comenzó a arder, el coyote regresó. Saltó por encima de toda la gente a la pira, donde tomó el corazón de Kokomaht en sus mandíbulas y se lo comió antes de huir.

Komashtam'ho estaba muy enfadado con el coyote—. ¡Serás maldecido por eso!—gritó—. Siempre vivirás en el desierto y serás un ladrón. Todo el mundo te evitará y te matará cuando pueda.

Entonces Komashtam'ho se volvió hacia la gente y dijo—: Ahora ya saben sobre la muerte. Kokomaht nunca más estará entre ustedes, porque la muerte debe ser para siempre. Si no hubiera muerte, habría demasiadas criaturas en el mundo, y no habría suficiente comida.

Cuando la gente escuchó que Kokomaht nunca volvería, comenzaron a llorar, porque recién entendieron que la muerte era para siempre. Y como las llamas de la pira de Kokomaht eran tan calientes, hizo que toda la tierra se calentara para siempre. La rana Hanyi observó a la gente llorando por Kokomaht y comprendió que estarían muy enojados con ella por matarlo. Así que Hanyi se enterró en una madriguera bajo tierra, y es por eso que las ranas todavía viven en esas madrigueras hasta el día de hoy.

Komashtam'ho vio a la gente llorando, y les dijo—: Ahora lloran, y eso es apropiado, pero cuando mueran, sus espíritus irán al lugar donde está Kokomaht. Allí siempre serán felices, como él es feliz ahora.

Entonces Komashtam'ho decidió que necesitaba ayuda para crear el resto del mundo. Eligió a un hombre llamado Marhokuvek para que le ayudara. Marhokuvek miró a la gente y a las criaturas que lloraban a Kokomaht y vio que estaban todos cubiertos de pelo largo, ya que la gente, los animales y los pájaros no se veían tan diferentes unos de otros cuando el mundo se hizo por primera vez. Marhokuvek dijo—: Cortémonos el pelo como señal de que estamos de luto.

La gente, los animales y los pájaros pensaron que era una buena idea, así que se cortaron todo el pelo, pero cuando Komashtam'ho vio el aspecto de los animales y los pájaros sin su pelo, dijo—: La gente se ve bien sin pelo, pero los animales y los pájaros no. —así que Komashtam'ho cambió las formas de los animales y los pájaros a las formas que tienen ahora, y le dio pelo a los animales y plumas a los pájaros. Entonces Komashtam'ho se dio cuenta de que algunos de los animales y pájaros eran muy salvajes y peligrosos, así que envió una gran lluvia para lavarlos. Llovía y llovía y llovía, y pronto el mundo entero se inundó. La inundación arrastró a muchos de los animales peligrosos, pero también comenzó a matar a algunos de los animales buenos y a las personas también, y el aire se volvió muy frío.

—¡Por favor, detén la inundación!—dijo Marhokuvek—. ¡Estás matando gente y buenos animales, y la gente no puede vivir en un mundo tan frío!

Komashtam'ho accedió a detener la lluvia, pero desde ese día en adelante, los animales, los pájaros y las personas vivían separados, y los animales y los pájaros tenían miedo de las personas. Para secar todas las aguas de la inundación, Komashtam'ho encendió un gran fuego, que quemó toda la tierra. Por eso el hogar del pueblo de Yuma es un desierto.

El cuerpo de Kokomaht había sido bien destruido por las llamas, pero su casa seguía en pie, con todas sus pertenencias dentro. Komashtam'ho dijo a la gente—: No debemos dejar la casa de Kokomaht en pie porque ahora está muerto, y cada vez que veamos su casa o sus pertenencias, nos entristecerá. Así que cuando alguien muere, tenemos que destruir su casa y sus pertenencias.

Komashtam'ho fue a la casa de su padre y usó un palo largo para derribarla. Luego usó el palo para desenterrar el lugar donde había estado la casa. El agua comenzó a brotar del suelo en los lugares que Komashtam'ho había cavado en la tierra, y los surcos hechos por el palo se llenaron con el agua y se convirtieron en el río Colorado.

La gente que Bakotahl había hecho no había sido completamente destruida. Aún vivían, aunque no tenían ni manos ni pies, ni dedos de las manos ni de los pies. Algunos de estos seres se convirtieron en peces y otras criaturas que viven en el agua, mientras que otros se convirtieron en aves acuáticas.

Después de todo lo creado, los diferentes tipos de personas se separaron y se fueron a vivir a diferentes lugares. Komashtam'ho le dijo al pueblo de Yuma—: He terminado de crear el mundo. Siempre estaré con ustedes, pero debo cambiar de forma porque también necesitaré estar con otras personas. Y en mi nueva forma, deben llamarme por un nuevo nombre. Seré Eshpahkomahl, el Águila Blanca.

Entonces Komashtam'ho se convirtió en cuatro águilas. Una era negra y voló hacia el oeste; de aquí vienen las nubes oscuras y la lluvia. Una era marrón y se fue al sur y voló sobre los ríos para atrapar peces. Nadie sabe cómo es la tercera águila, porque nadie la ha visto nunca. El propio Komashtam'ho voló hacia el norte en forma de águila blanca.

¿Y Bakotahl? Todavía vive bajo tierra y todavía tiene un corazón malvado. A veces la tierra tiembla, y la gente dice que es Bakotahl moviéndose en su casa subterránea.

Empujando hacia arriba el cielo *(Snohomish, costa noroeste)*

El pueblo Snohomish del estrecho de Puget reconoce a un único creador que hace el mundo, y aunque el creador hace un buen trabajo, se olvida de hacer el cielo lo suficientemente alto, por lo que la gente y los animales tienen que arreglar el problema. Por lo tanto, esta leyenda funciona como una historia acerca de por qué el cielo está tan lejos y acerca de por qué es tan difícil entrar en el Mundo Celestial, una región mítica sobre la tierra que contiene las estrellas.

Según el mito de Snohomish, al principio era fácil para la gente y los animales entrar en el Mundo Celestial porque el cielo estaba muy bajo y realmente tocaba la tierra en el horizonte. La naturaleza permeable de la tierra y el cielo limita los factores en otro aspecto de este cuento, que explica el origen de las constelaciones de Osa Mayor y Osa Menor. Estas dos constelaciones se forman cuando algunos cazadores y pescadores cruzan accidentalmente el límite tierra/cielo durante el empuje del cielo y terminan atrapados en el Mundo Celestial, donde se convierten en estrellas.

El recuento a continuación se basa en una versión de la leyenda contada por el jefe de Snohomish William Shelton.

El Creador y Cambiador hizo el mundo entero. Empezó al este y se dirigió hacia el oeste. Creó la tierra y las aguas, los pájaros y las bestias, y la gente. Le dio a todas las criaturas sus lugares para vivir, y le dio idiomas a la gente. Cuando hizo la tierra desde el este hasta el estrecho de Puget, y cuando puso a toda la gente y a todas las criaturas en sus lugares, vio que aún le quedaban muchos idiomas por dar. Así que los dispersó por todo el estrecho de Puget y las tierras del norte, y así fue como la gente que vivía en esa parte del mundo hablaba muchos idiomas diferentes y no siempre podían entenderse entre sí.

La gente tenía buenos lugares para vivir, pero había una cosa del mundo que no les gustaba. El Creador no había puesto el cielo lo suficientemente alto, y la gente alta siempre estaba golpeando sus cabezas en él. También había un segundo problema: si una persona subía lo suficientemente alto a un árbol alto, podía entrar en el Mundo Celestial, y a menudo no regresaba.

Finalmente, los ancianos de las tribus se reunieron para ver si podían descubrir qué hacer con el cielo tan bajo. Después de hablar durante mucho tiempo, acordaron que de alguna manera necesitaban empujar el cielo más alto.

—Esto nos llevará a todos a trabajar juntos—dijo un anciano muy sabio—. Toda la gente, todos los pájaros y todos los animales tendrán que empujar al mismo tiempo.

—Este es un buen plan—dijo otro anciano—pero ¿cómo nos aseguraremos de que todos trabajen juntos de esa manera? Hablamos demasiados idiomas, y necesitamos una señal que todos entiendan.

—¡Sé lo que podemos hacer!—dijo un tercer anciano—. Empujemos todos cuando alguien grite "Ya-hoh". Esa palabra es la misma en todos nuestros idiomas, y significa "empujemos juntos".

Todos los ancianos estuvieron de acuerdo en que este era un plan muy bueno. Enviaron mensajeros por todo el país, diciendo a la gente, a los pájaros y a los animales lo que iban a hacer, y fijando un día para que empujaran el cielo. Los mensajeros también le dijeron a la gente que tomara los troncos de los abetos y los pusiera como postes para empujar el cielo hacia arriba.

La gente trabajó muy duro para hacer los postes. Finalmente llegó el día de empujar el cielo. La gente levantó sus postes, los puso contra el cielo y se preparó para empujar. Cuando todos estaban en su lugar, los ancianos gritaron, "¡Ya-hoh!" y la gente empujó el cielo con sus palos. El cielo se movió un poco. Entonces, los ancianos gritaron, "¡Ya-hoh!" de nuevo, y la gente empujó de nuevo, y el cielo se movió un poco más. La gente trabajó y trabajó de esta manera durante mucho tiempo. Los ancianos gritaban, "¡Ya-hoh!" y todo el mundo empujaba, y finalmente, después de mucho esfuerzo, habían puesto el cielo donde está ahora. La gente alta era mucho más feliz porque ya no se golpeaban la cabeza todo el tiempo. Y desde el día del empuje del cielo, nadie ha podido subir lo suficientemente alto para entrar en el Mundo Celestial.

No todos habían oído hablar del empuje del cielo. Había tres cazadores que habían estado persiguiendo a cuatro alces y estaban lejos del resto de la gente cuando llegaron los mensajeros. Persiguieron y persiguieron a los alces durante varios días. En el día fijado para empuje del cielo, pero antes de que la gente comenzara a trabajar con sus palos, los cazadores y sus presas llegaron al lugar donde el cielo se encontraba con la tierra. Los alces saltaron al Mundo Celestial, y los cazadores los siguieron, pero cuando la gente levantó el cielo, los alces y los cazadores subieron con él, junto con su perro.

Los alces, el perro y los cazadores no pudieron dejar el Mundo Celestial, y allí se convirtieron en estrellas. Aún hoy en día se los pueden ver allí. Los tres cazadores forman el mango de la Osa Mayor, y se puede ver al perro como una estrella muy pequeña junto a la más grande en el medio del mango. Los alces forma el cuenco de la Osa Mayor.

Los cazadores no fueron los únicos que quedaron atrapados en el cielo ese día. Había dos canoas con tres pescadores cada una que estaban pescando. También quedaron atrapados en el cielo cuando lo empujaron, junto con un pez, y también se convirtieron en estrellas, y se convirtieron en la Osa Menor.

Y hasta el día de hoy, la gente que vive en el estrecho de Puget todavía grita "¡Ya-hoh!" cuando tienen que hacer una tarea difícil juntos.

El origen de El Capitán *(Miwok, California)*

El Capitán es un enorme monolito de granito en el lado norte del valle de Yosemite en California. En esta historia de cómo surgió El Capitán, contada por el pueblo Miwok del centro de California, no hay una acción directa de un ser sobrenatural, solo un suceso aleatorio que da como resultado una roca grande y plana que de otra manera no sería notable y que de repente crece de la noche a la mañana hasta convertirse en algo del tamaño de una montaña.

Una de las principales características de El Capitán es la superficie casi vertical de su cara, que solo puede ser escalada por algunos de los más hábiles escaladores. La dificultad inherente a la escalada de El Capitán, por lo tanto, figura en gran parte en esta historia, que comienza cuando una familia de osos queda varada en la cima del monolito cuando crece debajo de ellos durante la noche. Tan pronto como los otros animales descubren lo que les ha ocurrido a los osos, se apresuran a lanzar una misión de rescate para bajar a los osos. Sin embargo, ninguno de los animales es capaz de subir muy alto por la cara del acantilado, no importa cuánto lo intenten, hasta que finalmente el humilde gusano, que puede aferrarse a casi cualquier cosa, se ofrece a ir. El gusano llega a la cima, pero no antes de que los osos ya murieran de hambre.

La pureza de la cara del acantilado y la idea de que nada más que un gusano pegajoso pueda treparlo, influye en el nombre Miwok de El Capitán: Tutokanula, o "Piedra de Gusano".

Hubo un tiempo en que una madre oso y sus dos cachorros pasaban el día a lo largo del río Merced buscando comida. Habían caminado y buscado comida durante mucho tiempo, y estaban muy cansados. Caminaron un poco más lejos, buscando un lugar para descansar. Pronto encontraron una gran roca plana lo suficientemente grande como para que todos se acostaran en ella. Los osos subieron a la roca, se acurrucaron y se durmieron.

Los osos durmieron profundamente en la roca toda la noche. Dormían tan profundamente que no se dieron cuenta de que la roca crecía y crecía debajo de ellos mientras dormían. La roca creció tanto que cuando los osos se despertaron por la mañana, descubrieron que podían tocar la luna. Los osos estaban muy asustados. Miraron por encima del borde de la roca. Todo lo que vieron fue el borde de la cara del acantilado. No importaba hacia dónde miraran, no podían encontrar el camino de vuelta al valle.

Los osos no fueron los únicos que se sorprendieron por lo que pasó. Los pájaros y animales del valle de Yosemite miraron hacia arriba en shock cuando encontraron que la roca plana al lado del río era ahora tan grande como una montaña. Los pájaros y animales también escucharon los gritos de la madre osa y sus cachorros, y vieron a los osos mirando cautelosamente sobre el borde de la gran roca.

Todos los animales y pájaros estaban muy preocupados por la osa y sus cachorros—. ¿Cómo vamos a bajarlos?—dijeron—. No hay comida ahí arriba. ¡Si no rescatamos a esos osos, morirán de hambre!

Así que los animales y los pájaros se reunieron en un gran consejo para determinar lo que había que hacer. Al final, decidieron que alguien tenía que subir hasta los osos y ayudarlos a bajar.

—¡Yo iré!—dijo el ratón, y salió corriendo al rescate. Pero por mucho que lo intentara, el pequeño ratón fue incapaz de escalar muy lejos por los lados escarpados de la roca gigante.

Luego la rata dijo que iría, pero no tuvo más éxito del que tuvo el ratón, aunque pudo escalar un poco más alto. El conejo fue el siguiente y subió un poco más alto de lo que la rata había hecho, pero no se acercó a la cima. Entonces el león de montaña lo intentó, y el zorro, y el cuervo, y muchas otras criaturas después de ellos, pero ninguno de ellos fue capaz de subir lo suficientemente alto para ayudar a los osos.

Pronto todos los animales y pájaros se desesperaron por poder ayudar a los osos. Finalmente, el pequeño gusano se presentó—. Puedo ser muy pequeño—dijo—pero soy

muy buen escalador.

Y así el gusano se encaramó al pie de la gran roca y comenzó a escalar. Lenta y cuidadosamente se abrió camino por la cara escarpada del acantilado. Pasó por el lugar donde el ratón había tenido que detenerse. Luego pasó por el lugar donde la rata había llegado. Luego pasó por los lugares a los que llegaron el león de montaña, el zorro y el cuervo. Pronto el gusano había pasado los lugares a los que todos los demás animales habían podido subir, y siguió subiendo y subiendo.

Le llevó mucho tiempo al gusano llegar a la cima del enorme acantilado, pero finalmente llegó. Por desgracia, para cuando llegó el gusano, como había tardado tanto en llegar al rescate, los osos ya habían muerto de hambre. El gusano recogió los huesos y los llevó a donde los otros animales estaban esperando. Todos estaban muy tristes de que los osos hubieran muerto, y pusieron los huesos a descansar de la manera tradicional.

Y es por eso que la montaña que los blancos llaman "El Capitán" es llamada "Tutokanula" por los Miwoks, porque esa palabra significa "Piedra Gusano" en su idioma.

Parte II: Fantasmas y monstruos

Palo Quemado y el wendigo *(Sweet Grass Cree, Subártico)*

El wendigo es un temible gigante de dos caras con gusto por la carne humana que aparece en las historias de las tribus Algonquin y Dene. En esta historia de Sweet Grass Cree de Saskatchewan, Canadá, aprendemos que el wendigo es tan peligroso que incluso Wisahketchahk, el principal héroe de la cultura algonquina, le teme.

Aquí una chica llamada Palo Quemado viene a vivir con once hermanos que han escapado del wendigo y que también están acompañados por Wisahketchahk. Pero Palo Quemado no es una chica corriente; desde el mismo momento de su llegada, está claro que tiene orígenes sobrenaturales. Su captura por el wendigo, de la que escapa con la ayuda de la abuela de la criatura, es lo que finalmente lleva a que el wendigo sea asesinado por un joven que también parece ser un ser sobrenatural.

Palo Quemado vive con el joven y su esposa por un tiempo, y allí asume la ropa masculina y sale a cazar como si fuera un hombre. Este travestismo más tarde la salva de ser atacada por un hombre malvado que le gusta saltar de los árboles a mujeres desprevenidas para mutilarlas o matarlas. Por supuesto, Palo Quemado continúa dándole al malvado lo que justamente se merece, y regresa a sus hermanos con algunas de las jóvenes que salvó para ser sus esposas, deshaciendo así parte de la maldad del wendigo al hacer posible el aumento de la población.

El recuento que se presenta a continuación se basa en la historia contada por el narrador de historias Cree Louis Moosimin al antropólogo canadiense Leonard Bloomfield a principios del siglo XX.

Había una vez un espantoso wendigo que se había propuesto destruir a todos los seres humanos del mundo. Atacaba campamento tras campamento, matando y comiendo a tanta gente como podía. Después de un ataque, diez jóvenes lograron escapar juntos. Cuando el wendigo descubrió que habían escapado, los persiguió, pero ellos siempre se las arreglaron para encontrar un nuevo lugar para acampar y salir antes de que el wendigo pudiera atraparlos.

Los jóvenes habían huido tan rápido que habían dejado atrás a su hermano pequeño. Volvieron a buscar a su hermano pequeño y luego siguieron adelante. Los jóvenes y su hermano pequeño encontraron un buen lugar para establecer su campamento. Era un buen lugar que parecía seguro contra el wendigo. Mientras los hermanos mayores cazaban y hacían otras tareas de los hombres, el hermano menor se quedaba en la cabaña y hacía cosas como cuidar el fuego.

Un día, mientras el hermano menor cuidaba el fuego, pisó un trozo de madera. Descubrió que una astilla había atravesado la piel de su suela. El joven sacó la astilla de su pie y la tiró por la puerta de la cabaña. Tan pronto como lo hizo, una niña entró arrastrándose—. Oh no, no lo hagas—dijo el joven—. No sé cómo cuidar de una niña, y tampoco mis hermanos. —así que cogió a la niña y la puso de nuevo fuera de la cabaña.

Ni un momento después, la niña volvió a entrar. Era mucho más grande de lo que había sido antes, pero de nuevo el joven la puso fuera. Otra vez la niña entró, y esta vez miró al niño y le dijo—: ¡Hermano mayor! —El chico la puso fuera una vez más, pensando para sí mismo: «Quizás cuando vuelva la próxima vez, ya habrá crecido. Si los espíritus nos la han enviado, entonces ya será mayor y podrá quedarse con nosotros».

La chica regresó, y esta vez ya era una mujer joven—. ¡Entra y siéntate, hermana mayor!—dijo el joven, y así entró en la casa. El joven le puso el nombre de Palo Quemado. El chico presentó a Palo Quemado a sus hermanos, y se alegraron de que se uniera a ellos para hacer el trabajo que las mujeres suelen hacer.

En ese momento, Wisahketchahk también estaba con los diez jóvenes, y estaba con ellos porque estaba terriblemente asustado. El wendigo era una bestia tan temible que incluso Wisahketchahk huyó de él. Wisahketchahk se quedó con los jóvenes porque sabían mucho sobre los caminos del wendigo, cómo cazaba y qué senderos recorría. Cuando Wisahketchahk conoció a Palo Quemado, dijo—: ¡Bienvenida, pequeña hermana!—y fue entonces cuando los jóvenes y su hermano menor supieron que era correcto que Palo Quemado se quedara con ellos.

Así que este pequeño grupo vivió y trabajó juntos. Los hombres cazaban y pescaban y hacían todo el trabajo que los hombres suelen hacer, mientras que Palo Quemado curtía pieles, cosía ropa, cocinaba y hacía todo el trabajo que las mujeres suelen hacer, y durante un tiempo fueron todos muy felices juntos en ese lugar.

Un día, Wisahketchahk le dijo a Palo Quemado—: Hemos estado aquí por algún tiempo. El wendigo probablemente sabe dónde estamos. Pero tus hermanos y yo tenemos que irnos por unos días, y tú debes quedarte aquí sola. Si haces lo que te digo, estarás a salvo.

—Primero, debes salir y recoger suficiente leña para que te dure cuatro noches. Cuando estés recogiendo leña a partir de ahora, no recojas nada más que la madera. Mientras no estemos en casa, puede que oigas a alguien llamándote, pero no debes responder. Durante las cuatro noches que estaremos fuera, hará mucho frío. Puede que oigas nuestras voces fuera de la cabaña, pero no seremos nosotros. Debes quedarte dentro y no abrir la puerta. El wendigo seguro que estará merodeando mientras estemos fuera, y tiene un poder tan grande que hasta yo le temo.

La joven siguió el consejo de Wisahketchahk. Fue al bosque y recogió mucha leña para el fuego. También cortó un árbol y partió la madera para usarla también. Puso toda la leña dentro de la cabaña y selló la puerta porque el clima se había vuelto muy, muy frío.

Después de un rato, escuchó a alguien decir—: ¡Pequeña hermana, hemos regresado!—pero Palo Quemado recordó lo que Wisahketchahk le había dicho. No respondió, y no abrió la puerta. Entonces escuchó lo que sonaba como si sus hermanos estuvieran sufriendo por el frío—. ¡Nos estamos muriendo!—dijeron las voces—. ¡Nos estamos muriendo de frío! ¡Abre la puerta y déjanos entrar!— Palo Quemado no abrió la puerta, y por la mañana cuando salió, no había ninguna huella. «¡Wisahketchahk tenía razón!» pensó. «¡El wendigo vino anoche, y trató de engañarme!»

Después de cuatro noches, los hombres volvieron a la cabaña. Palo Quemado había seguido las instrucciones de Wisahketchahk y se había mantenido a salvo todo el tiempo. La mañana después de que los hombres volvieron a casa, Palo Quemado fue a recoger leña para el fuego. Pero esta vez olvidó la advertencia de Wisahketchahk, y recogió una bonita pluma que encontró en el suelo del bosque. De repente, el wendigo salió de la pluma, diciendo—: ¡Ajá! Por fin te tengo. Eres joven y tierna, y serás un plato sabroso cuando hayas engordado debidamente. —entonces el wendigo cogió a Palo Quemado, la tiró por encima de su hombro y volvió a su casa.

El wendigo vivía con su vieja abuela, y era ella quien cocinaba a la gente que traía a casa para comer. Cuando el wendigo llegó a casa con Palo Quemado, bajó a la chica y dijo—: ¡Eh, abuela! Mira este sabroso bocado que encontré. Engórdala bien para mí, porque tengo la intención de hacer un festín con ella cuando esté lista.

Durante un tiempo Palo Quemado vivió con el wendigo y su abuela. Luego llegó el día en que el wendigo decidió que comería

Palo Quemado. Le dijo a su abuela que matara a la chica y la cocinara, y luego salió.

La abuela no quería matar a Palo Quemado porque se había encariñado con la joven. La abuela fue a Palo Quemado y le dijo—: Nieto, el wendigo quiere que te mate para poder comerte, pero yo no quiero hacer eso. Ya he tenido una larga vida; toma esa hacha allí, y mátame golpeándome en la cabeza con ella, y luego ponme en la olla. Cuando hayas hecho eso, huye lejos de aquí. Ve en esa dirección cuando te vayas. Verás cuatro colinas delante de ti. Debes subir cada una de ellas. Cuando hayas cruzado las colinas, encontrarás una casa de hierro. Llama a la puerta de esa casa y pide ayuda. El que vive allí puede matar al wendigo. Dile al que vive allí: "¡Hermano mayor! ¡Ayúdame! ¡El wendigo quiere comerme!" y entonces tendrás una buena ayuda.

Cuando la abuela terminó de instruir a Palo Quemado, la joven tomó el hacha y la mató. Luego despellejó a la abuela, la cortó y la puso sobre la estufa para que se cocinara. Tan pronto como la comida terminó de cocinarse, Palo Quemado salió corriendo de la casa de wendigo en la dirección que la abuela le había dicho. Palo Quemado llegó a la primera colina. Subió por un lado y bajó por el otro. Luego llegó a la segunda colina, y subió esa también. Pero cuando empezó a subir la tercera colina, escuchó la voz rugiente del wendigo que estaba detrás de ella. El wendigo había descubierto que se había comido a su abuela en vez de comerse a Palo Quemado, y estaba muy enfadado—. ¡Nunca te alejarás de mí!—rugió el wendigo—. ¡Te seguiré a todas partes, y seguramente te encontraré y te comeré!

Palo Quemado comenzó a correr aún más rápido. Bajó la tercera colina y subió la cuarta. Al subir la colina, miró detrás de ella, y a lo lejos estaba el wendigo, corriendo tan rápido como podía para alcanzarla. Entonces Palo Quemado miró hacia abajo delante de ella, y allí estaba la casa de hierro como la abuela le había dicho. Corrió tan rápido como pudo y luego empezó a golpear la puerta y a gritar—:

¡Por favor, oh por favor déjame entrar! ¡El wendigo me está persiguiendo!

Pero estas no fueron las palabras que la abuela le dijo a Palo Quemado que usara, así que la gente dentro de la casa no abrió la puerta. Finalmente Palo Quemado recordó lo que tenía que decir—. ¡Hermano mayor! ¡Ayúdame! ¡El wendigo quiere comerme!

Tan pronto como Palo Quemado dijo esas palabras, la puerta se abrió, y ella entró en la casa. Dentro había un hombre y una mujer jóvenes. La joven le dijo a Palo Quemado—: ¡Cuñada, bienvenida! ¡Por favor, ven a sentarte!

Tan pronto como Palo Quemado se sentó, oyeron al wendigo rugiendo por toda la casa—. ¡Abre la puerta!—gritó el wendigo—. ¡Abre la puerta y déjame entrar! ¡Quiero tener a esa chica para mi cena! ¡Abre!

El joven tomó su hacha y abrió la puerta. Tan pronto como el wendigo metió la cabeza, el joven agitó el hacha y le cortó la cabeza al wendigo.

El joven y la joven mujer dieron la bienvenida a Palo Quemado a su casa. Ella vivió con ellos durante algún tiempo. El joven y la joven hicieron un talismán para que Palo Quemado lo llevara consigo—. Esto te dará poder de Manitou—dijeron. También hicieron ropa de hombre para que Palo Quemado la usara, y vestida como un hombre, salió a cazar todos los días.

Un día, el joven y la joven mujer le dijeron a Palo Quemado—: Tus hermanos te extrañan. Deberías ir a visitarlos. Pero de camino a casa, ten cuidado; hay un hombre malvado que vive en un tipi enorme. Le gusta trepar a los árboles y saltar sobre la gente que pasa. Cada vez que se posa sobre alguien, le rompe los huesos. A veces incluso los mata. Ahora bien, no intentará matarte si vas vestida como un hombre; solo salta sobre las mujeres. Pero tal vez puedas hacer algo con ese hombre malvado cuando te encuentres con él.

Palo Quemado comenzó su viaje de regreso a casa. Intentó evitar el campamento del hombre malvado, pero él la había visto acercarse desde lejos y se encontró con ella en el camino. Pensando que Palo Quemado era un hombre, el malvado dijo—: Ven y disfruta de la hospitalidad en mi casa. —Palo Quemado no podía negarse por miedo a levantar sus sospechas.

Caminaron durante un tiempo, y lentamente se dio cuenta el malvado de que Palo Quemado era, de hecho, una mujer y no un hombre. Hizo un plan para saltar sobre ella desde un árbol, pero no sin antes haberla asustado mostrándole a todas las jóvenes cuyos huesos había roto y a las que obligó a vivir con él. Palo Quemado sintió que el hombre malvado había descubierto quién era ella realmente, así que cogió un largo trozo de madera de saskatoon y fingió que lo necesitaba como bastón.

El hombre malvado llevó a Palo Quemado a su cabaña, y allí vio los cuerpos rotos de todas las mujeres a las que había hecho daño. Palo Quemado sintió pena y rabia por ellas, y juró evitar que el hombre malvado hiciera daño a nadie más.

—Ven y siéntate aquí—dijo el malvado, y Palo Quemado tomó el asiento que le ofreció. Entonces el malvado salió de la cabaña para subir a su árbol y esperar a que Palo Quemado fuera a buscarlo. Cuando el hombre ya se había ido por un rato, Palo Quemado levantó su bastón y dijo—: ¡Bastón, conviértete en hierro y deja que ese malvado se impregne en ti!

El bastón se convirtió en hierro, y así Palo Quemado fue al árbol donde el malvado se había escondido. Pensando que su plan había funcionado, el hombre saltó del árbol sobre Palo Quemado. Pero ella sacó la varilla de hierro que había hecho con el bastón de Saskatoon, y el hombre malvado fue empalado en él y murió.

Palo Quemado volvió a la cabaña del malvado. Sanó a todas las mujeres que tenían los cuerpos rotos, y devolvió la vida a los muertos. Seleccionando a diez de las mujeres para acompañarla, Palo Quemado terminó su viaje hacia la casa de sus hermanos. Cuando llegó allí, encontró a todos sus hermanos de luto–. ¡Oh, oh, oh!–lloraban–. ¡El wendigo se ha comido a nuestra hermana pequeña! ¡El wendigo se ha comido a Palo Quemado!

Palo Quemado se paró frente a sus hermanos y dijo–: ¡No lloren! ¡Estoy aquí! ¡El wendigo no me ha comido!

Los hermanos se alegraron mucho de que su hermana aún estuviera viva. Escucharon con asombro mientras ella les contaba su historia. Luego les presentó a las diez mujeres que llevó consigo–: A estas mujeres las he salvado del hombre malvado, y han consentido en ser esposas de ustedes. –los hermanos de Palo Quemado se casaron con las mujeres, y fueron muy felices juntos.

No muchos días después de las bodas, Palo Quemado se paró frente a su familia y dijo–: Debo dejarles ahora. No soy un ser humano. Escucho a mi padre llamándome de nuevo a él. Me convertiré en un ciervo, y en esa forma les dejaré, ya que he terminado el trabajo para el que me envió aquí.

El Fantasma de Doble Cara *(Cheyenne, Grandes Llanuras)*

Una gigantesca criatura sobrenatural de dos caras también aparece en esta historia del pueblo cheyenne de las grandes llanuras. Sin embargo, a diferencia de su homólogo wendigo, el fantasma cheyenne no es peligroso. Es generoso, amable y gentil, pero lo más importante es que está solo y sin esposa.

Una vez que el fantasma encuentra una mujer con la que quiere casarse, hace todo lo posible para mostrar a la familia que es una buena persona. La familia está, por supuesto, bastante asustada una vez que descubren que un fantasma les ha ayudado, pero tratan al fantasma con respeto, y el padre encuentra una manera de negarle honorablemente al fantasma la mano de su hija sin hacer que el fantasma pierda su honor.

El juego que el padre juega con el fantasma se llama "esconder la ciruela" en las fuentes consultadas para este libro, pero por la descripción del juego en la historia, parece ser una versión del juego del mocasín, que fue disfrutado por muchos pueblos indígenas, incluyendo a los indios de las llanuras como los cheyenes. El juego utiliza tres o cuatro mocasines y un pequeño objeto como una piedra o un hueso de ciruela. Un jugador esconde el objeto debajo o dentro de uno de los mocasines mientras usa un juego de manos para disimular dónde está realmente escondido el objeto, y el otro jugador tiene que adivinar en qué mocasín se ha colocado el objeto.

Una vez hubo un fantasma que era extremadamente alto. Sus piernas eran tan largas que podía cruzar un río de un solo paso o saltar de una colina a otra sin ningún esfuerzo. Sus brazos eran largos para coincidir con sus piernas, lo que le hacía muy fácil atrapar cualquier caza que le interesara. Pero su altura, sus brazos y sus piernas no eran las cosas más extrañas de este fantasma. No, su característica más extraña era que su cabeza tenía dos caras, una mirando al frente y la otra mirando hacia atrás, por lo que su nombre era Doble Cara.

A Doble Cara le gustaba que pudiera caminar por los ríos y las colinas con gran facilidad. Le gustaba ser un buen cazador. Y sin embargo no era feliz porque no tenía esposa, y por supuesto ser un fantasma le hacía aún más difícil encontrar una mujer que pudiera casarse con él.

Un buen día soleado, Doble Cara decidió dar un buen paseo por la pradera. Caminó, sintiéndose triste por no tener esposa y preguntándose qué podía hacer con su situación, cuando de repente vio un tipi a lo lejos. El tipi estaba solo; no había otros tipis o personas en ningún lugar en kilómetros a la redonda. El fantasma decidió acercarse y ver quién vivía en el tipi. ¡Quizás había incluso una mujer que podría consentir en casarse con él!

El fantasma se acercó al tipi tanto como se atrevió y se escondió detrás de una conveniente colina. Vio que tres personas vivían en el tipi: un hombre, su esposa y su hija. El fantasma vio como la gente se ocupaba de sus asuntos, y tan pronto como vio a la joven, supo que había encontrado a su novia. La joven era muy hermosa, y el fantasma no podía esperar a tenerla como esposa. ¿Pero cómo convencer a la familia de que le permitieran casarse con ella? Era poco probable que una chica humana viva quisiera un fantasma como marido, y sus padres probablemente no estarían felices con un fantasma como yerno. El fantasma pensó y pensó en lo que podría hacer para convencer a la familia de que sería un buen marido para la joven, y entonces tuvo una idea: era un muy buen cazador, así que llevaría a la familia carne fresca todos los días y la dejaría en la puerta de su tipi. Una vez que se dieran cuenta de que no quería hacerles daño y que sería un buen proveedor, ¡seguramente le dejarían casarse con la joven!

Satisfecho con su plan, el fantasma se dispuso a cazar, y pronto había atrapado una gran cantidad de caza. Lo limpió, y justo antes del amanecer, lo dejó en una piel de antílope limpia justo fuera del tipi. Entonces el fantasma fue y se escondió detrás de la colina para ver qué haría la gente. Cuando salió el sol, la gente salió del tipi y vio el gran montón de carne que el fantasma había dejado. Estaban muy contentos de ver que alguien les había dado este regalo, pero también estaban desconcertados. Miraron a su alrededor y dieron las gracias a quienquiera les había dejado la carne, pero cuando no vieron a nadie y nadie respondió, se pusieron a cocinar y a comer parte de la carne y a conservar el resto para otro momento.

Esto continuó durante varios días. El fantasma iba de caza y atrapaba mucha caza mayor, y luego la dejaba delante del tipi justo antes del amanecer. Entonces la gente salía e intentaba encontrar a su benefactor, pero como el fantasma permanecía bien escondido, nunca entendieron quién sería tan amable y generoso con ellos.

Finalmente, el padre se había cansado del misterio—. Voy a averiguar quién es el que nos deja esta buena caza cada mañana— dijo—. Realmente tenemos que agradecerle, y estoy cansado del misterio.

El padre se alejó un poco del tipi y cavó un agujero lo suficientemente grande para esconderse. Una vez que oscureció, se metió en el agujero y esperó. Durante mucho tiempo, no pasó nada, y le fue difícil mantenerse despierto. Pero justo antes del amanecer, el padre vio algo que se acercaba al tipi. Era increíblemente alto y llevaba un paquete de caza en sus brazos enormemente largos. Una vez que la criatura se acercó al tipi, dejó la caza fuera de la puerta y se alejó. Fue entonces cuando el padre se dio cuenta de que la cosa no solo era un gigante, sino que también tenía dos caras.

Una vez que pensó que era seguro hacerlo, el padre salió del agujero y corrió hacia el tipi—. ¡Despierten! ¡Despierten!—gritó a su esposa e hija—. ¡Despierten! ¡Debemos empacar nuestras cosas e irnos! Vi quién ha estado dejando la carne. ¡Es un enorme fantasma o monstruo o algo así, más alto que el árbol más alto, y tiene dos caras, una delante y otra detrás! ¡No debemos quedarnos aquí ni un momento más!

La familia se apresuró a desarmar el tipi y empacó sus pertenencias. Caminaron y caminaron todo el día, sin atreverse a detenerse excepto para beber un poco de agua y comer un poco. Querían alejarse lo más posible del monstruo.

Algún tiempo después de que la familia se hubiera ido, Doble Cara volvió al lugar donde el tipi había estado para ver si la familia había aceptado su último regalo. Allí encontró la carne sobre la piel del antílope, pero el tipi ya no estaba. Doble Cara miró el suelo y vio las huellas de la familia. Siguió las huellas, y con largas zancadas de sus largas piernas, las alcanzó en poco tiempo. Se puso delante de ellos y dijo—: ¡Esperen! ¡Por favor no huyan! ¡No voy a hacerles daño! Por favor, escúchenme.

La familia se dio cuenta de que no tenían forma de escapar de un monstruo que podía cruzar un río de un solo paso o saltar de una colina a otra, así que se detuvieron. El padre dijo—: Estamos agradecidos por toda la carne que nos dejaste. Te escucharemos. Dinos qué es lo que quieres.

—Un día mientras caminaba a zancadas por la pradera, sentí lástima de mí mismo porque no tengo esposa. Entonces vi tu tipi, y vi a tu hermosa hija, y me enamoré de ella. Te dejé la carne porque quiero que sea mi esposa, y quería mostrarte lo bien que puedo mantener una familia.

Esto ciertamente era un problema. El padre se dio cuenta de que, aunque pensara que era bueno para su hija casarse con un fantasma, era poco probable que ella consintiera en casarse con uno. El padre pensó rápidamente, tratando de encontrar una manera de sacar a su familia de este apuro sin enojar a un fantasma grande, fuerte y monstruoso que podría fácilmente matarlos a todos, si lo decidía.

—Sí—dijo el padre—, ciertamente has demostrado que serías un excelente proveedor, y estoy seguro de que algún día serás un buen marido para alguien. Pero hay una tradición entre mi gente, una especie de desafío que los pretendientes deben conquistar antes de poder casarse con una de nuestras hijas.

—¿Oh?—dijo el fantasma—. ¿Qué desafío es ese?

—Es un pequeño juego llamado "esconde la ciruela". Tenemos que jugarlo para ver si eres digno de casarte con mi hija. Si ganas, puedes casarte con ella. Si yo gano, tienes que darle algo a nuestra familia.

—Hmm—dijo el fantasma—. Nunca he oído hablar de tal desafío o tal tradición. ¿Estás seguro de que tenemos que hacer esto?

—Oh, sí—dijo el padre—. Debemos hacerlo. Esta ha sido siempre la tradición de nuestra gente, y si no jugamos el juego primero, entonces nuestra familia estará maldita.

—Nunca querría ser la causa de que alguien sea maldecido—dijo el fantasma—. Estoy de acuerdo con tus términos. ¿Qué te gustaría que le diera a tu familia si pierdo?

—Por favor, continúa trayéndonos carne fresca. Eres un buen cazador, y hemos estado muy agradecidos por tu ayuda.

—Muy bien—dijo el fantasma—. Vamos a jugar el juego.

El padre sacó la ciruela, y comenzaron a jugar el juego. El padre había sugerido este desafío porque sabía que nadie podría vencerlo en este juego, aunque fuera un fantasma de la tierra de los muertos. Las manos del padre se movían tan rápido que el fantasma no podía encontrar la ciruela, no importaba cuánto lo intentara o cuántas veces lo hiciera. Y por supuesto no ayudó que la hija sacara su tambor y empezara a tocarlo y a cantar canciones, lo que distrajo al fantasma todo el tiempo.

Finalmente, el fantasma se rindió—. Tú ganas. No puedo derrotarte. Siento mucho no poder casarme con tu hija, pero cumpliré mi parte del trato.

—Eres muy amable—dijo el padre—. Espero que encuentres pronto a alguien con quien casarte.

Y así el fantasma continuó trayendo carne a la familia por el resto de sus vidas, pero nadie sabe si alguna vez encontró una esposa.

La primera niebla *(Inuit, Ártico)*

A veces los actos creativos ocurren a partir de la destrucción de algo maligno, como en esta historia inuit de cómo la niebla llegó al mundo. Un espíritu malo estuvo haciendo lápidas y luego comiéndose los cuerpos, y no se detendría hasta que el angakkuq *del pueblo se ocupara de él. Un* angakkuq *es una persona que ocupa un lugar especial en la cultura inuit como líder espiritual, guardián de la paz y chamán. Este papel puede ser ocupado por hombres o mujeres, pero es más común que los hombres se conviertan en* angakkuq.

En esta historia, vemos la importancia del angakkuq *para la seguridad de su pueblo y su papel como alguien capaz de hacer frente a las amenazas sobrenaturales. Cuando la gente se ve afectada por la perturbación de las tumbas de sus seres queridos por un mal espíritu, es el* angakkuq *el que se pone en peligro para descubrir por qué se estaban profanando las tumbas y para despachar a los seres sobrenaturales que puedan ser responsables. El* angakkuq *en esta historia también funciona como un embaucador, engañando a la esposa del espíritu malo sobre cómo cruzar el río creado por la magia del* angakkuq, *lo que resulta en la creación de la primera niebla.*

Hace mucho tiempo, la gente tenía un problema muy grave. Un mal espíritu bajaba de las montañas y robaba los cuerpos de los muertos de sus tumbas. Nadie sabía quién era el espíritu o dónde vivía, y era aterrador pensar que el espíritu podía venir y robar el cuerpo de un ser querido en cualquier momento.

Finalmente, el *angakkuq* del pueblo había tenido suficiente. Pidió a sus compañeros que hicieran un funeral y lo enterraran como si estuviera muerto—. Esperaré en la tumba a que este espíritu venga a buscarme—dijo el *angakkuq*—, y cuando lo haga, averiguaré cómo hacer que deje en paz los cuerpos de nuestros seres queridos.

Al principio, los aldeanos estaban indecisos—. ¿Qué pasa si mueres de verdad antes de que el espíritu venga a por ti? ¿Y si el espíritu te mata y te come? ¿Qué haremos entonces, si ya no estás aquí para ayudarnos?

Pero el angakkuq aseguró a todos los aldeanos que esta era la mejor manera de detener al espíritu, así que le hicieron un funeral y lo enterraron en una tumba como si estuviera muerto. Esa noche, después de que toda la gente se fuera a sus casas, el espíritu bajó de las montañas para ver si algún nuevo cuerpo había sido enterrado ese día. Miró en el cementerio y vio el lugar donde el *angakkuq* acababa de ser enterrado. El espíritu desenterró el *angakkuq* y se echó el cuerpo sobre los hombros. Luego caminó todo el camino de regreso a su casa en las montañas.

Cuando el espíritu llegó a casa, dejó el *angakkuq* y le dijo a su esposa—: Este era más pesado que todos los demás. Estoy muy cansado. Voy a dormir un rato.

—Muy bien—dijo la esposa del espíritu—. Saldré a recoger leña para que podamos cocinar y comer este más tarde.

Después de que la esposa del espíritu se fue, el *angakkuq* abrió los ojos. Los hijos del espíritu lo habían estado observando y lo vieron hacer esto.

—¡Padre! ¡Padre! ¡Éste no está muerto!—gritaron.

—Silencio—dijo el espíritu—. Lo saqué de la tumba justo esta misma noche. Seguro que está muerto. Ahora déjame dormir.

Cuando el espíritu se dio la vuelta para volver a dormir, el *angakkuq* saltó y mató al espíritu y a sus hijos con su cuchillo. Entonces el *angakkuq* salió corriendo de la casa del espíritu y bajó por el camino que lo llevaría de vuelta a su propia aldea. Mientras corría, el *angakkuq* pasó por delante de la esposa del espíritu cuando regresaba a casa con una carga de leña. Al principio, la esposa del espíritu pensó que el *angakkuq* era su marido—. ¿A dónde vas con tanta prisa?—preguntó mientras el *angakkuq* pasaba a toda velocidad.

Aun pensando que había visto a su marido corriendo, y preguntándose qué estaba haciendo, la esposa del espíritu corrió tras el *angakkuq*. El *angakkuq* escuchó los pasos de la esposa del espíritu siguiéndolo. Pronto el *angakkuq* llegó a un arroyo. Saltó sobre él fácilmente. Entonces se volvió y le dijo al arroyo—: ¡Llénate de agua, pequeño arroyo! ¡Desborda tus bancos!

Cuando llegó la esposa del espíritu, el arroyo se había convertido en un río ancho. Era tan ancho que la esposa del espíritu no podía saltar sobre él. Vio el *angakkuq* al otro lado y gritó—: ¿Cómo cruzaste este río?

—Oh, fue muy fácil—dijo el *angakkuq*—. Solo bebí toda el agua hasta que el arroyo se secó.

La esposa del espíritu se arrodilló en la orilla y comenzó a beber. Bebió y bebió y bebió hasta que el arroyo se secó por completo. Entonces empezó a caminar por él. Cuando estaba en medio del arroyo, el *angakkuq* dijo—: ¿Qué es eso que cuelga de tus partes privadas? ¿Los espíritus como tú tienen cola como las bestias?

La esposa del espíritu se detuvo y se inclinó para mirar. Pero como estaba tan llena de agua, su vientre se abrió de golpe cuando se inclinó y murió. El agua que salía de su vientre se convirtió en niebla, y esta fue la primera niebla que existió. Desde entonces, la gente podía enterrar a sus muertos en paz, y nadie perturbaba las tumbas.

El coyote y el origen de la muerte *(Caddo, Sureste)*

El coyote es una figura común en los mitos indígenas, donde funciona de manera variada como embaucador, ingenuo, creador o alguna mezcla de los mismos. En este mito del pueblo Caddo del sudeste de los Estados Unidos, el coyote es responsable de que la muerte se vuelva permanente. Sin embargo, no lo hace por despecho o por error, sino más bien por preocupación por los vivos, ya que si la gente no muere, pronto habría demasiada gente, lo que conduciría a una escasez de recursos y mucho sufrimiento. A pesar de las buenas intenciones del coyote, el hecho de que sea él quien haga de la muerte un estado permanente le marca como un paria para siempre.

En el principio del mundo, la gente nunca moría. Simplemente seguían viviendo y teniendo hijos, y pronto el mundo se llenó de gente y no había suficiente comida para todos. Todos los jefes se reunieron en un consejo para decidir qué hacer.

Uno de los jefes se puso de pie y dijo—: Creo que deberíamos hacer que la gente muera, pero solo por un tiempo. Después de que hayan estado muertos por un tiempo, que vuelvan.

Cuando el jefe terminó de hablar, el coyote se levantó y dijo—: Oh, no. Ese es un plan terrible. Si la gente regresa después de un tiempo, seguiremos teniendo el mismo problema porque nadie se irá para siempre. Creo que la muerte debería ser algo para siempre.

Los otros jefes estaban consternados por las palabras del coyote—. ¡Debemos dejar que la gente regrese!—gritó uno.

—¡Sí!—gritó otro—. No es justo que se vayan para siempre. Sus familias y amigos los extrañarán mucho si saben que los muertos nunca volverán.

Muchos otros jefes también se levantaron y hablaron en contra del plan del coyote, y al final, el consejo decidió que la gente debía morir por un tiempo y luego volver a la vida de nuevo. Los curanderos construyeron una casa de hierba orientada al este. Esta era una casa especial en la que los muertos debían ser devueltos a la vida.

—Pondremos una pluma de águila sobre la puerta—dijo el jefe de los curanderos—y cuando alguien muera, la pluma se caerá de la puerta y se volverá roja de sangre. Entonces todos los curanderos sabrán venir a la casa de la hierba y cantar al espíritu de la persona muerta de vuelta a la vida.

Cuando la gente escuchó las nuevas reglas sobre la muerte, estuvieron de acuerdo en que era un buen plan. No querían que sus amigos y familiares se fueran para siempre.

Después de un tiempo, la pluma de la casa de hierba se enrojeció con la sangre y se cayó de la puerta. Los curanderos entraron en la casa de hierba, y durante unos diez días cantaron para devolver el espíritu a la vida. Cuando terminaron de cantar, el joven que había muerto estaba allí en medio de la casa de hierba, vivo de nuevo. Todos los que habían conocido al joven se regocijaron que estuviera vivo entre ellos una vez más.

El coyote vio lo que los curanderos habían hecho. Vio al joven resucitado y cómo la gente se regocijó al verlo de nuevo. Pero el coyote no estaba contento. Quería que la muerte fuera para siempre porque de otra manera no habría suficiente comida para todos.

La siguiente vez que la pluma cayó de la puerta, el coyote entró en la casa de la hierba con los curanderos. El coyote se sentó allí mientras ellos cantaban para traer el espíritu de vuelta. Después de haber cantado durante muchos días, el coyote escuchó el sonido de un torbellino acercándose a la casa de hierba. Escuchó el viento empezar a girar y girar alrededor de la casa mientras los curanderos cantaban. El coyote sabía que el espíritu del muerto estaba en este viento, y así cuando el viento se acercó a la puerta de la casa y trató de entrar, el coyote saltó y cerró la puerta de un portazo, manteniendo el espíritu afuera. Cuando el espíritu vio que la puerta de la casa de hierba estaba cerrada, siguió adelante con el torbellino y nunca volvió.

Debido a que el coyote cerró la puerta de la casa de hierba de esa manera, los espíritus de los muertos nunca podrán volver a la tierra de los vivos. Y cuando la gente oye y ve un torbellino, dicen—: Oh, ese debe ser el espíritu de alguien que acaba de morir. Están vagando y buscando un camino para ir a la tierra de los espíritus.

El coyote, por su parte, se asustó por lo que había hecho, y por eso huyó. Y desde entonces, ha sido muy cauteloso porque siempre teme ser castigado por hacer que la muerte dure para siempre, y siempre está muy hambriento porque ya nadie le da comida.

Blue Jay y los fantasmas *(Chinook, Costa Noroeste)*

Blue Jay es una figura engañosa en la mitología del pueblo Chinook del noroeste del Pacífico. Como muchos embaucadores, Blue Jay es vanidoso y egoísta, y le gusta ir a propósito en contra de los consejos de los demás, especialmente el de su hermana, Io'i. Blue Jay descarta la sabiduría de su hermana frecuentemente, a menudo con la observación falsa de que "Io'i siempre dice mentiras".

Esta historia, que está ambientada principalmente en el mundo del más allá, explica cómo los fantasmas continúan su existencia en el mundo de los fantasmas y también describe cómo es ese mundo, tanto para los fantasmas que viven allí como para los vivos que podrían visitarlos. La importancia de la cortesía y el respeto, incluso para los fantasmas de los muertos, es un tema primordial de esta historia, así como la importancia de seguir las instrucciones dadas por una persona conocedora, cosas que Blue Jay aprende de la manera más dura y con un coste permanente para él mismo.

Hubo un tiempo en que algunos fantasmas decidieron que necesitaban una mujer para ser la esposa de su jefe. Buscaron entre los vivos a la mujer que mejor se adaptara. Cuando la encontraron, fueron a su familia con una gran riqueza de conchas dentales, y su familia aceptó el matrimonio. Esa noche Io'i se casó con el fantasma, pero cuando todos se levantaron por la mañana, descubrieron que ella había desaparecido. El hermano de Io'i, Blue Jay, dijo—: Esperaré un año, y si no ha reaparecido o no nos ha enviado un mensaje, iré a buscarla.

Pasó un año sin que Io'i dijera nada, así que Blue Jay se dispuso a buscarla. Primero fue y preguntó a todos los árboles—: ¿Adónde va la gente cuando muere?—pero los árboles no le respondieron, así que Blue Jay preguntó a todos los pájaros. Tampoco le contestaron. Finalmente, Blue Jay preguntó una vieja cuña que le pertenecía—. Sé adónde va la gente cuando muere—dijo la cuña—pero no te llevaré allí a menos que me pagues. —Blue Jay pagó a la cuña, y lo llevó a la tierra de los fantasmas.

En la tierra de los fantasmas, había un gran pueblo con muchas casas. Blue Jay caminó por el pueblo, notando que ninguna de las casas tenía humo saliendo de ellas, excepto una casa muy grande en el otro extremo. Blue Jay fue a la casa grande y entró. Dentro encontró a su hermana. Estaban muy contentos de volver a verse, y después de intercambiar saludos, Io'i preguntó—: ¿Por qué estás aquí? ¿Estás muerto ahora?

—No, no estoy muerto—dijo Blue Jay—. Pagué a mi vieja cuña para que me trajeran aquí.

Entonces Blue Jay salió de la casa grande y vagó por el pueblo. Miró en todas y cada una de las casas y encontró que todas estaban llenas de huesos. Volvió a la casa grande, donde vio un montón de huesos cerca de donde estaba sentada su hermana.

—¿Por qué están todos estos huesos en tu casa?—preguntó Blue Jay.

Io'i señaló un cráneo y dijo—: Es tu cuñado.

Blue Jay pensó: «No puede ser mi cuñado. Io'i miente todo el tiempo».

Pero tras la puesta de sol, cuando estaba oscuro, los huesos se convirtieron en las formas de la gente, empezando a hacer sus cosas. Blue Jay los miró de cerca, pero le resultó difícil ver sus rasgos y su ropa.

—¿De dónde vino toda esta gente?—Blue Jay le preguntó a Io'i—. ¿Adónde fueron todos los huesos?

—No seas tonto—dijo Io'i—. Estas no son personas. Son fantasmas.

A Blue Jay le pareció un poco aterrador, pero dijo—: No pasa nada. Me gustaría quedarme contigo de todos modos.

—Muy bien—dijo Io'i—. ¿Qué tal si vamos a pescar? Puedes coger tu red de sumersión y salir con ese chico de allí. Es un pariente de mi marido. Pero no le hables mientras están fuera pescando juntos.

Blue Jay no estaba seguro de cómo hablaría con el chico, incluso suponiendo que encontrara algo que decir. Los fantasmas solo susurraban, y por mucho que Blue Jay lo intentara, no podía entender lo que decían.

El chico fantasma y Blue Jay bajaron al río y lanzaron su canoa, el chico fantasma en la popa y Blue Jay en la proa. Remaron durante un rato, y pronto se encontraron con un gran grupo que también remaba por el río. Todos los demás estaban cantando mientras remaban. Blue Jay reconoció la canción y se unió, pero tan pronto como empezó a cantar en voz alta, todos los demás se detuvieron. Blue Jay se dio la vuelta para mirar al niño fantasma, pero vio que se había convertido en un montón de huesos.

Durante un rato, Blue Jay continuó remando a lo largo del río, sin hablar ni cantar. Entonces decidió darse la vuelta y ver qué había sido del niño fantasma. Cuando miró, vio que los huesos habían desaparecido, y el niño fantasma estaba sentado en la popa tan como cuando empezaron.

Hablando en voz muy baja, Blue Jay le preguntó al chico—: ¿A qué distancia está tu presa?

—Un poco más abajo en el río—dijo el chico.

Remaron durante un corto tiempo. Luego, en voz muy alta, Blue Jay preguntó—: ¿A qué distancia está tu presa?—cuando Blue Jay se dio la vuelta, encontró que el chico se había convertido en un montón de huesos otra vez.

Blue Jay permaneció en silencio por unos momentos, luego se dio vuelta y vio al niño sentado allí. Blue Jay preguntó muy suavemente—: ¿A qué distancia está tu presa?

—Está justo aquí—dijo el chico.

Blue Jay cogió su red de sumersión y empezó a pescar con ella. Puso la red en el agua y sacó dos ramas, que volvió a tirar. De nuevo Blue Jay metió su red, esta vez sacando un montón de hojas mojadas. Blue Jay también las devolvió, pero algunas de ellas cayeron en el fondo de la canoa, donde el chico las recogió.

Pescaron un poco más, pero lo único que Blue Jay logró atrapar fueron dos ramas más. «Oh, bueno» pensó Blue Jay «puede que no seamos capaces de comer esto, pero aun así es útil. Se las daré a Io'i para que las use en el fuego».

El chico y Blue Jay volvieron a casa remando. Fue muy frustrante para Blue Jay regresar con solo dos ramas para mostrar todo su trabajo, pero cuando llegaron a la canoa y se dirigieron a la casa grande, Blue Jay notó que el chico llevaba una estera llena de truchas. «Eso es extraño» pensó Blue Jay. «Nunca pescó nada en todo el tiempo que estuvimos pescando».

El chico le dio el pescado a su gente para que lo cocinara—. ¿Por qué ustedes tienen tan pocos peces?— preguntaron.

—Blue Jay tiró casi todo lo que pescó—dijo el chico—. Fue un gran desperdicio. Atrapó muchos peces grandes y finos, pero luego los arrojó de nuevo al agua.

Io'i le preguntó a Blue Jay—: ¿Por qué tiraste todos los peces?

—¿Peces?—dijo Blue Jay—. No atrapé ni uno solo. Solo pesqué un montón de ramas y una red llena de hojas.

—Bueno, exactamente—dijo Io'i—. Tiraste un montón de buenos peces. Las hojas eran de trucha y las ramas de salmón.

Io'i salió de la casa y bajó a la orilla del río. Miró dentro de la canoa del chico, y dentro encontró dos salmones muy grandes. Los recogió y los llevó de vuelta a la casa.

Cuando Blue Jay vio a su hermana cargando el salmón, se sorprendió mucho—. ¿De dónde diablos los has sacado?—preguntó—. ¿Los robaste de algún sitio?

—No seas tonto—dijo Io'i—. Tú los atrapaste. Estaban en tu canoa.

Pero Blue Jay no le creyó a su hermana. «Io'i siempre miente» pensó para sí mismo.

Por la mañana, Blue Jay bajó a la orilla del río. Miró todas las canoas que habían quedado varadas allí. Blue Jay se preguntó cómo él y el chico habían sido capaces de remar y no hundirse, ya que cada una de las canoas tenía agujeros, y en algunos lugares estaban salpicadas de musgo y líquenes.

Blue Jay regresó a la casa—. Tu marido no cuida muy bien sus canoas—dijo.

—Por favor, deja de quejarte—dijo Io'i—. Vas a ofender a mi marido y a su familia.

—¡Pero todas las canoas están llenas de agujeros y les crece musgo!

—¡Claro que sí!—dijo Io'i—. ¿No lo entiendes? Aquí no hay gente viva. Están todos muertos. Son todos fantasmas. No hacen las cosas de la misma manera que tú en la tierra de los vivos.

Después de la puesta de sol, Blue Jay y el niño fantasma fueron a pescar de nuevo. Esta vez Blue Jay se burló del chico gritándole para que se convirtiera en huesos, y luego se quedó callado hasta que volvió a ser un chico. Pronto llegaron a la presa y comenzaron a pescar. Cada vez que Blue Jay atrapaba algunas hojas o ramas, las ponía en el fondo de la canoa en lugar de tirarlas. Cuando la canoa estaba llena, remaron de vuelta, y de camino a casa Blue Jay se burlaba de todos los fantasmas que encontraba gritándoles y convirtiéndolos en huesos. El chico y Blue Jay llegaron al pueblo. Encallaron en su canoa y llevaron su captura a la casa grande.

—¡Mira lo que hemos cogido hoy!—Blue Jay anunció mientras le daba a su hermana una gran pila de salmón grande y gordo.

A la noche siguiente, Blue Jay fue a dar un paseo por el pueblo fantasma. Cuando oscureció por completo, todos los huesos se convirtieron en personas y comenzaron a hacer sus cosas. Mientras caminaba, Blue Jay oyó a alguien gritar—: ¡Mira! ¡Hay una ballena en la playa!

Blue Jay regresó a la casa grande para averiguar más. Su hermana se encontró con él en el camino. Le puso un cuchillo en las manos y le dijo—: ¡Ve y ayuda a cortar esa ballena!

Pero Blue Jay no sabía exactamente dónde estaba la ballena. Se acercó al primer fantasma que vio y dijo en voz muy alta—: ¿Dónde está la ballena?—pero el fantasma no pudo responder porque se había convertido en huesos. Frustrado, Blue Jay pateó el cráneo.

Blue Jay siguió su camino, preguntando a todos los fantasmas sobre la ballena, pero siguió preguntando en voz alta, y los fantasmas se convirtieron en huesos. Finalmente Blue Jay se encontró con un gran tronco de árbol a la orilla del río. El tronco tenía una corteza muy gruesa, que los fantasmas estaban quitando con sus cuchillos. Blue Jay les gritó, y la gente se convirtió en huesos. Entonces Blue Jay subió al tronco y empezó a pelar parte de la corteza. Descubrió que estaba llena de brea. Cuando hubo pelado dos grandes trozos, los recogió y los llevó a casa.

Blue Jay tiró los trozos de corteza fuera de la casa, y luego llevó a su hermana para mostrárselos—. ¡Mira esto!—dijo Blue Jay—. Todos decían que era una ballena, pero no es más que un gran árbol de corteza gruesa.

—¿De qué estás hablando?—dijo Io'i—. Eso de ahí es carne de ballena. Y además es buena carne de ballena. ¡Mira toda la grasa!

Blue Jay miró hacia abajo, y seguro que en lugar de dos grandes trozos de corteza, había dos grandes trozos de carne de ballena. Cuando levantó la vista, Blue Jay vio otro fantasma que se acercaba a la gran casa llevando un gran trozo de corteza de árbol. Blue Jay le gritó al fantasma y este se desplomó en un montón de huesos. Blue Jay cogió el trozo de corteza de árbol y lo llevó de vuelta a la casa. Luego volvió a salir e hizo esto una y otra vez, recogiendo toda la carne de ballena que los fantasmas llevaban a casa.

Por la mañana, Blue Jay pensó que se divertiría con los esqueletos del pueblo. Entró en una casa donde había huesos de un niño y un adulto. Recogió los cráneos y puso el cráneo del niño en el esqueleto del adulto. Luego puso el cráneo del adulto en el esqueleto del niño. Yendo de casa en casa, cambió todos los cráneos que estaban allí. Cuando oscureció, los fantasmas estaban en una terrible angustia. Nadie tenía la cabeza correcta. Los niños no podían sentarse correctamente porque sus cabezas eran demasiado grandes para sus cuerpos. Los adultos se sentían extraños porque sus cabezas eran demasiado pequeñas para sus cuerpos.

A la mañana siguiente, Blue Jay volvió a poner los cráneos en los cuerpos correctos. Luego decidió hacer el mismo tipo de truco, excepto con las piernas. Les dio las piernas de los niños a los adultos, y las piernas de los adultos a los niños. Si no había suficientes huesos de niños, cambiaba las piernas de un hombre por las de una mujer, o al revés.

Blue Jay se creía muy inteligente, pero los fantasmas pronto se cansaron de todos sus trucos. El marido de Io'i le dijo—: Es hora de que tu hermano se vaya a casa. Se está comportando de forma muy grosera y a la gente no le gusta nada.

Io'i le pidió a Blue Jay que dejara de comportarse tan mal, pero él no quiso escuchar. Durante el día le hacía cosas a los esqueletos de los fantasmas, y por la noche se burlaba de ellos gritándoles y convirtiéndolos en huesos.

Un día, Blue Jay entró en la casa grande, donde encontró a su hermana acunando el cráneo de su marido. Blue Jay se lo arrebató de las manos y lo tiró—. ¡Oh, no!—gritó Io'i—. ¡Le has roto el cuello a tu cuñado!

Cuando cayó la noche, el marido de Io'i estaba gravemente enfermo. Un chamán vino a la casa grande y pudo curarlo.

Por fin Blue Jay decidió que debía volver a casa. Io'i le dio cinco cubos de agua—. ¡Ahora, escucha con atención!—dijo ella—. Tendrás que pasar por cinco praderas y cinco bosques de camino a casa. Todas las praderas estarán en llamas, pero debes guardar toda el agua hasta que llegues a la cuarta pradera. No olvides lo que te acabo de decir.

—No lo haré—dijo Blue Jay.

Blue Jay salió con sus cinco cubos de agua. Caminó hasta llegar a una pradera. Hacía mucho calor allí, y la pradera estaba salpicada de flores rojas—. Esto es probablemente lo que Io'i quería decir—dijo Blue Jay, y derramó la mitad de su primer cubo en la pradera, dejando caer el agua en el sendero mientras caminaba.

Luego Blue Jay siguió caminando, y al final de esa primera pradera llegó a un bosque. Caminó por el bosque y llegó a una segunda pradera. Esta estaba ardiendo en el borde. Derramó la segunda mitad de su cubo en ese fuego, y la mitad del siguiente cubo también. Cuando llegó al final de la segunda pradera, llegó a otro bosque, y tras cruzarlo, llegó a la tercera pradera. En lugar de estar caliente o estar en llamas en el borde, la mitad de esta pradera estaba en llamas. Vertió un cubo y medio en el fuego y llegó al bosque del otro lado con seguridad.

Blue Jay llegó a una cuarta pradera. Esta vez, casi todo estaba en llamas, y a Blue Jay solo le quedaban dos cubos y medio de agua. Vació la mitad del cubo que quedaba y luego la otra mitad de uno de los cubos llenos, y llegó al bosque con seguridad.

Finalmente Blue Jay llegó a la quinta pradera. Esta estaba completamente en llamas, y a Blue Jay solo le quedaba un cubo de agua. Lo derramó todo mientras caminaba, y cuando llegó al final de su agua aún le quedaba un poco de camino para llegar al bosque. Blue Jay tomó su manta de piel de oso e intentó usarla para apagar las llamas, pero la manta se incendió y se quemó. Entonces el fuego comenzó a quemar el pelo de Blue Jay, y pronto estaba muerto, habiendo sido quemado hasta la muerte por el fuego de la pradera.

Al atardecer, Blue Jay se dirigió a la casa de su hermana. Cuando llegó a la orilla del río frente a donde ella vivía, la llamó. Io'i llegó al río y vio el fantasma de su hermano de pie al otro lado.

—¡Oh, no!—gritó Io'i—. Mi hermano está realmente muerto.

Io'i tomó la canoa de su marido y la remó hasta su hermano. Cuando llegó, Blue Jay dijo—: ¿De dónde sacaste esta hermosa canoa? Nunca he visto una mejor.

—Esta es la canoa de mi marido, la que dijiste que estaba llena de agujeros y cubierta de musgo.

Blue Jay dijo—: Io'i, siempre mientes. Quizá esta sea la canoa de tu marido, pero sé que las otras estaban llenas de agujeros y cubiertas de musgo.

—Blue Jay, ahora estás muerto—dijo Io'i—. Las cosas te parecerán diferentes aquí porque ahora eres un fantasma.

Pronto llegaron al pueblo de los fantasmas. Blue Jay e Io'i subieron a la canoa y se dirigieron a la casa grande. Blue Jay vio a todos los fantasmas ocupándose de sus asuntos. Algunos de ellos estaban jugando. Otros estaban cantando. Otros estaban bailando. Blue Jay intentó unirse al canto, pero todos los fantasmas se rieron de él.

Io'i llevó a su hermano a la casa grande. Allí Blue Jay vio a un hombre muy guapo, que obviamente era un jefe.

—¿Quién es ese?—preguntó Blue Jay a su hermana.

—No seas tonto—dijo Io'i—. Es mi marido, tu cuñado. Le rompiste el cuello una vez, ¿recuerdas?

—Y todas esas canoas en la orilla del río—dijo Blue Jay—eran tan bonitas como la de tu marido. Ninguna de ellas tenía agujeros ni siquiera una mota de musgo.

—Oh, Blue Jay—dijo Io'i—, ¿no lo entiendes? Ahora estás muerto, así que ves la tierra de los fantasmas de la misma manera que ellos.

Pero Blue Jay no quería creer a su hermana. «Io'i miente todo el tiempo», pensó para sí mismo.

Blue Jay decidió probar uno de sus viejos trucos. Se acercó a un grupo de personas y les gritó, pero en vez de convertirse en pilas de huesos, se rieron de él. Cuando Blue Jay vio que este truco no funcionaba, dejó de intentarlo.

Más tarde, Blue Jay volvió a dar un paseo y se encontró con un grupo de magos que cantaban y bailaban.

—Por favor, compartan sus poderes conmigo—dijo Blue Jay, pero los magos solo se rieron de él.

Después de un rato, Io'i fue a buscar a su hermano y lo encontró observando a los magos y preguntándoles por sus poderes.

—No seas tonto—le dijo Io'i a Blue Jay—. Vuelve a casa y deja a esta gente en paz.

Blue Jay se fue a casa con su hermana, pero a la noche siguiente volvió al lugar donde los magos bailaban. De nuevo les pidió que compartieran sus poderes con él, y de nuevo los magos se rieron de él. Noche tras noche, Blue Jay fue a ver a los magos y les pidió sus poderes, y en la quinta noche los magos se cansaron. Enviaron a Blue Jay de vuelta a la gran casa caminando de las manos y con las piernas en el aire.

Io'i vio a su hermano brincando sobre sus manos. Empezó a llorar y a lamentarse—. Oh, Blue Jay—gritó—ahora te he visto morir por segunda vez, porque los magos te han quitado el ingenio.

Parte III: Cuentos de artimañas

El coyote y la pequeña tortuga *(Hopi, Suroeste)*

Esta historia del pueblo Hopi de Arizona muestra al coyote en su apariencia de criatura crédula que puede ser engañada en casi cualquier cosa. Cuando el coyote intenta intimidar a una pequeña tortuga para que cante para él, la tortuga hace que la ingenua naturaleza del coyote trabaje para su propio beneficio, engañando al coyote para que la arroje al agua, que es justo donde la tortuga quiere estar.

Cerca de la aldea de Orayvi, hay un manantial llamado Leenangva. Alrededor del manantial crecían juncos, totoras y otras plantas a las que les gustaba el agua, y entre las plantas vivía una familia de tortugas. Las tortugas vivían allí muy felices. Tenían mucha agua y mucha comida disponible.

Pero llegó un momento en el que la lluvia no cayó. Después de un tiempo, los arroyos y estanques comenzaron a secarse, y pronto Leenangva también se secó. Todas las plantas se marchitaron y murieron. Fue difícil encontrar comida para los animales que vivían cerca del manantial.

La madre tortuga reunió a todos sus hijos y dijo—: No podemos quedarnos aquí. No hay suficiente agua. No hay suficiente comida.

Tenemos que ir a otro lugar. Volveremos a Sakwavayu, el lago Azul, donde solíamos vivir. Tal vez haya suficiente comida y agua allí.

Y así las tortugas comenzaron a caminar hacia Sakwavayu, donde solían vivir. Debido a que era muy seco, y porque el día era muy brillante, la arena era extremadamente caliente. A la tortuga más pequeña le costaba caminar porque la arena caliente le quemaba las patas. Se cansó mucho y le dolían los pies, así que se detuvo a descansar a la sombra de un arbusto, pensando que se sentaría allí hasta que se hubiera enfriado y luego iría a seguir a su madre y a sus hermanos y hermanas. Estaba agradable y fresco a la sombra, y la pequeña tortuga estaba muy, muy cansada. Pronto se durmió. Mamá Tortuga ni siquiera se dio cuenta de que había desaparecido. Ninguna de las otras tortugas pequeñas tampoco se dio cuenta de su desaparición.

Algún tiempo después, la pequeña tortuga se despertó—. ¡Oh, cielos, oh cielos!—gritó—. ¡Me quedé dormida por no sé cuánto tiempo, y ahora Madre Tortuga y mis hermanos y hermanas han seguido sin mí!

La pequeña tortuga comenzó a llorar porque estaba sola y asustada. Salió de debajo de los arbustos y vio las huellas que su familia había dejado, yendo en dirección a Ismo'wala. La pequeña tortuga empezó a seguir las huellas, llorando lágrimas amargas todo el tiempo, temiendo no volver a ver a su familia nunca más. Y la arena todavía estaba muy caliente y le dolían mucho los pies.

El coyote vivía en Ismo'wala, y escuchó el sonido de la pequeña tortuga llorando. Fue a ver quién hacía ese sonido, y encontró a la pequeña tortuga llorando y siguiendo las huellas que su familia había dejado. La pequeña tortuga vio venir al coyote, así que se cayó boca abajo y se metió la cabeza y todas las piernas en su caparazón. El coyote se acercó a la pequeña tortuga y olfateó y resopló a su alrededor. Luego tomó su pata y puso a la pequeña tortuga de espaldas.

—Cántame esa canción que estabas cantando—exigió el coyote.

—No estaba cantando. Estaba llorando—dijo la pequeña tortuga.

—Una historia probable—dijo el coyote—. Cántame esa canción.

—Ya te la he contado. No estaba cantando, estaba llorando—dijo la pequeña tortuga—. Me dormí bajo ese arbusto, y mi familia siguió sin mí. Lloraba porque tengo miedo de no volver a verlos.

—Oh, vamos y canta ya—dijo el coyote—. Ambos sabemos que estabas cantando de verdad. ¡Si no cantas, te engulliré de inmediato!

—Adelante, hazlo—dijo la pequeña tortuga—. No me mataría de todos modos. Todavía estaría viva dentro de tu vientre.

—Bueno, entonces, si no cantas, te llevaré a esa montaña de ahí y te empujaré por la ladera—dijo el coyote—. Te deslizarás y te deslizarás sobre la nieve.

—Me parece bien—dijo la pequeña tortuga—. ¡Deslizarse en la nieve suena divertido!

—Bueno, entonces, si no cantas, te llevaré y te haré rodar por aquí en la arena—dijo el coyote—. Hace mucho calor, y apuesto a que no te gustará nada.

—La arena caliente no me molesta—dijo la pequeña tortuga—y rodar en ella suena divertido.

El coyote comenzó a sentirse frustrado. Nada con lo que pudiera amenazar a la pequeña tortuga la asustaba en absoluto. Entonces el coyote tuvo una idea.

—Si no me cantas tu canción—dijo el coyote—te llevaré al río y te tiraré al agua.

—¡Oh, no!—gritó la pequeña tortuga—. Por favor, no hagas eso. ¡Por favor, haz lo que quieras conmigo, pero no me tires al río!

—¡Ja!—exclamó el coyote. Luego tomó a la pequeña tortuga en sus mandíbulas y trotó hasta la orilla del río. El río tenía mucha agua y corría rápido. El coyote lanzó a la pequeña tortuga al agua. Tan pronto como estuvo en el río, la pequeña tortuga sacó la cabeza y las piernas. Llamó al coyote y le dijo—: ¡Muchas gracias! El río es donde vivo. ¡Gracias por tirarme al agua!

El coyote no podía creer lo que oía. Se enojó mucho—. ¡Me comeré a esa pequeña tortuga, aunque sea lo último que haga!—dijo, y luego saltó al agua. La pequeña tortuga lo vio venir, y se zambulló bajo la superficie. El coyote trató de atrapar a la pequeña tortuga, pero el río estaba tan lleno y se movía tan rápido que el coyote se ahogó.

Cuando la tortuga vio que el coyote ya no podía seguirla, salió a la superficie y comenzó a nadar. Sabía que el río la llevaría a Sakwavayu. La pequeña tortuga pronto llegó a Sakwavayu, donde vio que su familia aún no había llegado, así que se arrastró bajo un arbusto para esperarlos. La pequeña tortuga esperó y esperó, hasta que el sol casi se había puesto y la arena se había enfriado. Entonces escuchó los sonidos de su madre y sus hermanos y hermanas hablando y riendo mientras caminaban. La pequeña tortuga salió de debajo del arbusto y gritó a su familia—: ¡Sorpresa!

—¡Dios mío!—dijo la madre tortuga—. ¿Cómo llegaste aquí tan rápido?

—Cuando estábamos caminando, me detuve a descansar bajo un arbusto. Me quedé dormida. Cuando me desperté, vi que habían seguido sin mí. Lloraba porque tenía miedo de no volver a verles. Empecé a seguir sus huellas, pero el coyote me oyó llorar. Pensó que estaba cantando. Dijo que si no le cantaba, me comería. Luego dijo que me haría deslizarme por la montaña en la nieve. Luego dijo que me haría rodar por la arena caliente. Cuando dijo todas esas cosas, le dije que no tenía miedo. Luego dijo que me tiraría al río. Fingí tener mucho miedo, así que me cogió en sus mandíbulas y me tiró al agua. Le agradecí que me trajera a mi casa, pero esto lo hizo enojar. Saltó al río, diciendo que me iba a comer, pero el agua era demasiado profunda y demasiado rápida para él, y se ahogó. Cuando supe que era seguro, nadé a lo largo del río hasta que llegué aquí, donde les esperé.

—¡Qué bueno que ese tonto coyote crea cualquier cosa que le digan!—dijo la madre tortuga—. Me alegro mucho de que hayas podido engañarle de esa manera. Ahora, bajemos al agua y busquemos algo de comer.

La familia tortuga bajó al agua, donde encontraron muchas cosas buenas para comer. Y vivieron en Sakwavayu para siempre.

El coyote y el zorro *(Shuswap, Subártico)*

Si el coyote de la historia Hopi es impaciente y crédulo, el coyote de esta historia Shuswap es vano y vengativo, aunque aquí ciertamente tiene una buena razón para estar enojado al principio. También vemos un ejemplo de la forma en que los personajes animales en los cuentos indígenas son vistos como personas, haciendo cosas humanas como cazar con armas, usar fuego, hacer y usar ropa.

Esta historia funciona tanto como un cuento con moraleja y como una historia justa. Es un cuento con moraleja, ya que nos muestra el precio que pagan las personas que son vanidosas y codiciosas, y una historia justa que explica por qué la piel del zorro plateado se considera tan valiosa. Sin embargo, solo el vengativo coyote paga un precio por sus pecados; el zorro roba la comida del coyote y es tan vanidoso de su fino manto como el coyote lo es inicialmente, pero el zorro se escapa con el estómago lleno y su fino manto intacto.

El coyote siempre estaba viajando, y una vez tuvo hambre mientras caminaba. Se encontró con una vivienda habitada por damanes. El coyote pensó para sí mismo «¡Esos seguro que serían una comida sabrosa ahora!». Así que el coyote mató a todos los damanes y los ensartó en una cuerda. Puso la cuerda sobre su hombro y siguió su camino, pensando que viajaría un poco más antes de comer su captura.

El día estaba muy claro y muy caluroso. Pronto el coyote estaba cansado y tan hambriento que no pudo ir más lejos. Encontró un buen pino a la sombra y se sentó debajo de él. Para cocinar sus damanes, el coyote primero hizo un gran fuego. Cuando estaba ya caliente, puso grandes piedras en el fuego. Mientras las piedras se calentaban, el coyote cavó un agujero, y cuando las piedras estaban lo suficientemente calientes, el coyote puso las piedras en el agujero. El coyote puso los damanes encima de las piedras calientes y las cubrió bien con hojas y la tierra que cavó del agujero. Luego se acostó a la sombra del árbol para tomar una siesta mientras se cocinaba su comida.

El zorro también estaba fuera en sus viajes, y mientras caminaba vio al coyote dormido a la sombra del árbol. El zorro también vio el horno de tierra que el coyote estaba usando para cocinar su comida. «Me pregunto qué se está cocinando allí» pensó el zorro, porque había estado viajando todo el día y estaba muy hambriento. «Iré a echar un vistazo. El coyote está dormido; ni siquiera me notará».

El zorro fue al horno y sacó los damanes, que estaban perfectamente cocinados. El zorro se tragó la mitad de ellos y estaba a punto de coger el siguiente cuando el coyote dijo—: No me importa compartir; solo déjame diez para mí. —el coyote ni siquiera se sentó o abrió los ojos, era así de perezoso.

El zorro se comió aún más damanes—. Deja nueve de ellos para mí, ¿quieres?—dijo el coyote.

Pero el zorro siguió comiendo y comiendo, aunque el coyote le pidió que dejara algunos para su propio alimento. Pronto solo quedaba un damán—. Oh, bueno—dijo el coyote— ¿qué tal si me dejas la mitad de ese para mí?

El zorro no escuchó. Se tragó hasta el último bocado, y entonces todos los damanes se habían terminado. El zorro sabía que el coyote se enfadaría mucho con él, así que se fue tan rápido como pudo. Pero no fue muy rápido, porque el zorro estaba tan lleno de buenos damanes que no podía moverse muy bien, y pronto no pudo ir más lejos. Se acostó a la sombra de un árbol y se fue a dormir.

Cuando el coyote se dio cuenta de que el zorro se había ido después de comerse todos los damanes, se puso furioso. «¡Ese Zorro! ¡Ni siquiera dejó un bocado para mí! ¡Yo le enseñaré!».

El coyote siguió el rastro del zorro. Pronto encontró el lugar donde el zorro estaba durmiendo bajo las ramas del árbol. Usando su magia, el coyote hizo que el árbol cayera sobre el zorro—. ¡Eso!—dijo el coyote—. ¡Eso le enseñará a robar toda mi comida!

Pero las ramas del árbol eran tan gruesas que el tronco nunca tocó al zorro. El zorro se abrió paso a través de las gruesas ramas y se escabulló. El coyote lo vio irse y lo siguió, más enojado que nunca. Pronto el zorro llegó a una espesa pradera de hierba de centeno. Se adentró en la hierba, se acurrucó y se fue a dormir. El coyote vio al zorro entrar en la hierba, y cuando estuvo seguro de que el zorro estaba dormido, prendió fuego al prado. El zorro se despertó cuando escuchó el sonido de las llamas que se acercaban. Prendió su propio fuego, y así pudo escapar.

El zorro fue a un lugar que estaba densamente poblado de cañas. Se metió entre los juncos pensando que tal vez finalmente sería capaz de terminar de dormir. Pero cuando entró en el lugar de los juncos, muchas liebres saltaron y empezaron a huir. El coyote seguía el rastro del zorro, así que vio a todas las liebres huyendo—. ¡Oh, esto es buena suerte!—dijo coyote—. ¡Ahora podré comer por fin!

El coyote se dispuso a matar a las liebres. El zorro se asomó entre los juncos y vio que el coyote estaba ocupado, así que el zorro se escabulló. El coyote vio al zorro cuando estaba bastante lejos, pero ahora que el coyote tenía muchas liebres gordas para comer, estaba contento—. Bien, puedes irte—gritó el coyote al zorro.

El coyote continuó sus viajes hasta que llegó a un lugar donde había muchas urracas. El coyote puso trampas para los pájaros. Una vez que atrapó suficientes pájaros, los despellejó y se hizo un fino manto con las plumas todavía adheridas—. ¡Vaya, mira qué hermosa capa es esta!—dijo el coyote—. Nadie se verá mejor que yo. —entonces coyote hizo una canción sobre lo hermosa que era su capa y lo complacido que estaba con ella.

Una vez más, el coyote reanudó su viaje. Pronto se volvió a cruzar con el zorro. Esta vez, el zorro llevaba su propia capa fina, pero esta estaba hecha de pieles de zorro plateada y adornada con plumas de águila dorada. El coyote envidió instantáneamente la capa de zorro, así que dijo—: ¡Oye, zorro! ¿Te gustaría cambiar de capa conmigo?

—¡Claro que no!—dijo el zorro—. ¿Por qué iba a cambiar una capa de piel de zorro y plumas de águila por una que solo está hecha de plumas de urraca?

El coyote fingió aceptar la respuesta del zorro. Se dio la vuelta como si se fuera a ir, pero de repente saltó sobre el zorro y le arrebató la capa de piel.

El coyote corrió y corrió, agarrando la capa de piel. Pronto llegó a un lago. Tomó la capa de piel de urraca y la rompió en pedazos, y luego tiró los pedazos al agua. Tomó la capa de piel de zorro y se la puso. ¡Qué bien se veía con ella y qué hermosas eran las plumas!

—Soy la criatura más bella de la tierra—dijo coyote—. Lo único que falta es una pequeña brisa. ¡Cómo revolotearían y bailarían las plumas si solo hubiera una brisa de viento! Es lo único que me haría ver mejor de lo que ya estoy.

El zorro había seguido al coyote, y cuando el coyote llegó a la orilla del lago, el zorro se escondió y esperó a ver qué haría el coyote. Cuando el zorro escuchó que el coyote deseaba una brisa, el zorro usó su magia para llamar a un fuerte viento. El viento sopló la capa de piel de zorro de la espalda del coyote y se la llevó al zorro.

El coyote sabía que nunca recuperaría esa capa de piel, así que empezó a buscar los trozos de su capa de piel de urraca. Pero el viento se había llevado muchos de los pedazos, y los pedazos que el coyote pudo encontrar habían perdido todas sus plumas.

El zorro usó esa capa para siempre, y pronto se convirtió en un zorro común. Es por eso que los zorros tienen un hermoso pelaje plateado, y por eso su piel es la más valiosa de todas.

Cómo el castor robó el fuego *(Nez Perce, Plateau)*

Muchas culturas tienen historias que cuentan cómo un animal u otro robó el fuego y se lo dio a la gente. El coyote a menudo juega este papel, al igual que la zarigüeya o, como en esta historia de los Nez Perce de la meseta del río Columbia en el noroeste del Pacífico, el castor. En lugar de ser una sustancia que es simplemente creada o utilizada por seres poderosos, en este mito, el fuego es conceptualizado como una propiedad inherente de ciertos árboles. Los árboles guardan su fuego celosamente, y solo cuando el castor hace su valiente intento el fuego se distribuye a otros árboles y por lo tanto también se pone a disposición de otras criaturas.

Esta historia no solo explica cómo llegó a utilizarse el fuego, sino que también es una historia sobre ciertos accidentes geográficos. En la huida del castor de los árboles enojados después de robarles el fuego, cambia el curso del río Grande Ronde que recorre excavando o cambiando el cauce.

En la época anterior a que hubiera gente en el mundo, los animales, los pájaros y las plantas caminaban y hablaban juntos como lo hace la gente ahora. Y en esa época, los únicos que tenían el secreto del fuego eran los pinos. Guardaban este secreto muy celosamente y no se lo daban a ninguna de las otras criaturas, incluso si esas criaturas se congelaban hasta morir sin él.

Un invierno, hacía tanto frío que todos los animales temían morir congelados. Solo los pinos estaban calientes, porque tenían fuego. Los animales celebraron un consejo para ver cómo podrían robar el fuego de los pinos. Se les ocurrió un plan tras otro, pero ninguno tuvo éxito hasta que finalmente el castor lo intentó.

El castor sabía que los pinos estaban a punto de celebrar un gran consejo cerca de las orillas del río Grande Ronde en Idaho. Él sabía que hacía tanto frío que los árboles probablemente encenderían un fuego para calentarse. Así que el castor se escondió en un lugar donde podía ver los pinos mientras se preparaban para el consejo. Primero, los árboles entraron en el río para bañarse, ¡y el agua estaba muy, muy fría! Luego los árboles salieron del río, y armaron un fuego para calentarse después de bañarse. Pero, aunque temblaban mientras se calentaban, los árboles seguían siendo muy astutos; ponían guardias para vigilar a los animales y pájaros que pudieran intentar robarles el fuego.

Sin embargo, el castor sabía que pondrían guardias, así que se escondió en un buen lugar antes de que los guardias estuvieran allí, pero después de que el fuego se hubiera encendido. Tal como el castor esperaba, pronto un carbón vivo bajó rodando desde el fuego de los árboles hasta el lugar donde se escondía. El castor saltó de su escondite, agarró el carbón y salió corriendo tan rápido como pudo. Los árboles vieron al castor huyendo con un trozo de su fuego, y fueron tras él en una persecución intensa. Cada vez que los árboles se acercaban demasiado, el castor esquivaba por aquí y por allá, y por eso el río Grande Ronde tiene lugares donde es recto y lugares donde es torcido y sinuoso.

Después de una larga persecución, muchos de los árboles se cansaron demasiado para seguir corriendo detrás del castor, así que se plantaron en las orillas del río donde estaban, haciendo un bosque tan espeso que incluso los mejores cazadores tienen dificultades para atravesarlo. Algunos de los árboles siguieron corriendo detrás del castor, pero eventualmente se cansaron también y se plantaron donde se detuvieron. Por eso en algunos lugares a lo largo del río hay bosques densos, mientras que en otros lugares solo hay unos pocos árboles dispersos.

Un cedro se negó obstinadamente a abandonar la persecución, y siguió corriendo tras el castor después de que casi todos los demás árboles se detuvieran y se plantaran. Un puñado de otros árboles fueron con el cedro. Finalmente el cedro se dio cuenta de que nunca atraparía al castor. Miró a su alrededor y vio una alta colina no muy lejos.

—Iré y subiré esa colina—dijo el cedro a los otros árboles que estaban con él—y así tal vez podamos ver a dónde va el castor, aunque nunca podamos atraparlo.

Los otros árboles estuvieron de acuerdo en que era un buen plan, así que el cedro subió a la cima de la colina y se plantó allí en la cima. Miró hacia abajo y vio al castor zambulléndose en el río Big Snake en el lugar donde el río Grande Ronde desemboca en él. Mientras el cedro miraba, el castor nadó a través del Big Snake. Entonces el castor fue a los sauces que estaban en las orillas del río y les dio un poco de fuego de los pinos. Después de eso, el castor corrió a lo largo de las orillas del río por un pequeño camino, luego se zambulló de nuevo y le dio un poco de fuego a los abedules del otro lado del río. Y es por eso que cuando la gente hace fuego, usan madera de sauce y abedul, porque tienen el fuego que el castor robó, fuego que saldrá de su madera cuando se frota de cierta manera.

¿Y el cedro que subió a la colina? Se quedó allí quieto, solo, mirando al río y a los árboles que tienen trozos de fuego de los pinos, y cuando la gente pasa por ese lugar, cuentan la historia y señalan al cedro solitario que persiguió al castor hasta ese mismo lugar.

El cuervo y la marmota *(nativa de Alaska)*

El cuervo juega un papel similar en el folclore de los nativos de Alaska que el coyote en las historias de las culturas más sureñas. El cuervo es un embaucador y un creador, pero su arrogancia a menudo lo lleva a ser engañado por otros animales.

Aquí el orgullo del cuervo es herido por los insultos que le lanzan un grupo de aves marinas. Intenta reparar su dignidad herida yendo tras una marmota, pero la marmota es un animal de pensamiento rápido y pronto se le ocurre una forma de escapar del pico del cuervo halagando al pájaro por su habilidad para bailar.

La conexión entre la danza y los cuervos es importante para muchos pueblos de Alaska y la costa norte del Pacífico. Varias tribus de esas zonas practican formas de la Danza del Cuervo, en la que los bailarines llevan grandes máscaras de madera de cuervo y a veces capas de plumas que representan las alas del pájaro.

Desafortunadamente, no pude determinar qué cultura de Alaska produjo esta historia en particular, pero en su colección de cuentos populares de Alaska, la autora Katharine Judson dice que es del estrecho de Bering.

Era un buen día soleado, y el cuervo pensó que podría ir a ver si encontraba algo para comer a la orilla del mar. Mientras volaba sobre la playa, un grupo de aves marinas lo vieron pasar y comenzaron a burlarse de él.

Un ave marina gritó—: ¡Mira ese cuervo! ¡Se cree muy bueno, pero todo lo que come son cosas muertas!

—Sí—dijo otro—. Creo que eso es simplemente asqueroso.

Entonces los pájaros comenzaron juntos a burlarse del cuervo—. ¡Carroñero! ¡Carroñero! ¡Todo lo que comes son cosas muertas, y tus plumas negras son feas!

El cuervo estaba muy molesto por lo que decían las aves marinas. Se apartó del mar y voló hacia las montañas, refunfuñando para sí mismo todo el camino. Cuando el cuervo llegó a las montañas, aterrizó, pensando en descansar sus alas, pero aún molesto por las cosas que habían dicho las aves marinas. El cuervo miró a su alrededor y vio un agujero de marmota en el suelo. El cuervo fue a ver si la marmota estaba en casa, pero antes de que pudiera meter el pico en el agujero, una pequeña voz detrás de él dijo—: Disculpe, pero esa es mi casa. Me gustaría entrar, por favor, pero está bloqueando el camino.

El cuervo se dio la vuelta, y allí estaba la marmota, esperando pacientemente que el cuervo se hiciera a un lado—. ¿Por qué debería moverme?—dijo el cuervo—. De hecho, creo que tal vez debería comerte ahora mismo. Eso les demostrará a esas desagradables aves marinas que están equivocadas.

La marmota estaba desconcertada por la referencia del cuervo a las aves marinas, pero no dijo nada al respecto. En cambio, dijo—: Muy bien, puedes comerme, pero me preguntaba si podrías hacer algo muy importante por mí primero.

Al cuervo siempre le gustó que le dijeran lo importante que era, así que dijo—: Dime qué es eso y ya veré.

—He oído que eres el mejor bailarín del mundo. Creo que me gustaría mucho que tu baile fuera lo último que viera en este mundo. Si yo canto, ¿bailarás?

El cuervo se sintió muy halagado por esto—. ¡Claro! Empieza tu canción, y yo bailaré para ti. Morirás feliz.

—¡Oh, gracias!—dijo la marmota, y luego comenzó a cantar:

Oh, cuervo, ¡con qué gracia bailas!

¡Oh, cuervo, qué hermosas son tus negras plumas!

¡Qué fuerte es tu pico negro!

¡Oh, cuervo, baila para mí, baila para mí!

Mientras la marmota cantaba, el cuervo empezó a dar saltos, primero en una pierna y luego en la otra. Para concentrarse mejor en su gracia, el cuervo cerró los ojos. Pronto el cuervo se había alejado del agujero de la marmota, y la pequeña criatura bajó a su madriguera tan rápido como pudo. Cuando la marmota estuvo a salvo del pico del cuervo, se enfrentó a la entrada de su madriguera y se rió—. ¡Chik-kik-kik-kik-kik! ¡Eso fue lo más ridículo que he visto! Casi no podía cantar porque me esforzaba por no reírme de ti. ¡Y ahora no podrás comerme, aunque esté gorda y jugosa!

El cuervo no pudo pensar en nada que decirle a la marmota, aunque estaba muy, muy enojado, así que se fue volando.

La rata de madera y hombre de los piñones *(Pomo, California)*

El pueblo Pomo de California tradicionalmente vivía a lo largo de la costa norte-central del estado en lo que hoy son los condados de Mendocino y Sonoma, con su territorio extendiéndose hasta el interior del lago Clear. Como otros grupos indígenas, los Pomo tienen muchos cuentos de artimañas, algunos de los cuales presentan al omnipresente coyote. Sin embargo, los Pomo también tienen historias que involucran a un animal embaucador diferente: La rata de madera.

En esta historia, la rata de madera engaña a una extraña criatura parecida a un hombre llamada hombre de los piñones, lo que resulta en la muerte final del hombre de piñones al ser drenado de todos los piñones que llenan su piel. Los aldeanos del valle de Sacramento, donde el hombre de piñones se encuentra con su muerte, no saben lo que son los piñones, pero cuando descubren que son buenos para comer, se pelean con avidez por ellos. Por lo tanto, esta leyenda funciona como una historia justa, como muchos cuentos de artimañas, mostrando tanto la astucia de la rata de madera como explicando la introducción de los piñones en la dieta de los Pomo como un importante alimento básico.

La historia que sigue está basada en una recolectada de informantes de Pomo por el antropólogo Samuel Barrett a principios del siglo XX.

Un día, la rata de madera tenía hambre, así que salió a recoger piñones. Cuando llegó al pino, vio que el hombre de los piñones había llegado antes que él y ya estaba en el árbol recogiendo piñas. Unas cuantas piñas habían caído al suelo y estaban al pie del árbol. La rata de madera cogió una de las piñas y empezó a desenterrar las semillas y a comérselas.

—¡Oye, cuñado!—la rata de madera llamó al hombre de los piñones—. Estos son unos piñones muy buenos que tenemos aquí.

El hombre de los piñones no le prestó ninguna atención a la rata de madera. Solo siguió recogiendo piñas y poniéndolas en su saco.

Pronto el hombre de los piñones había recogido todas las piñas de ese árbol. Bajó con su saco y se alejó un poco del árbol, donde se sentó y comenzó a sacar los piñones de sus conos.

La rata de madera miró al hombre de los piñones durante un rato, y luego dijo—: Supongo que no me quieres aquí. ¿Sabes lo que hace la gente cuando no me quiere cerca? Cavan un gran agujero y me tiran dentro de él. No puedo molestar a la gente cuando estoy en el fondo de un agujero.

El hombre de los piñones estaba ansioso por deshacerse de la rata de madera. No le gustaba que la rata de madera lo mirara o hablara con él mientras estaba trabajando. Así que el hombre de los piñones tomó su palo de cavar y comenzó a cavar un hoyo. Siguió cavando y cavando hasta que el agujero era tan profundo que podía meter todo su cuerpo de pie. El hombre de piñones había estado cavando durante tanto tiempo, que empezó a preguntarse si la rata de madera seguía allí.

—¡Oye, rata de madera!—gritó—. Casi he terminado con el agujero. ¿Sigues ahí?

—Oh, sí, sigo aquí—dijo la rata de madera—pero no estoy seguro de que el agujero sea lo suficientemente profundo todavía. Sigue cavando, y no me hagas más preguntas.

Mientras el hombre de piñones seguía cavando, la rata de madera recogió madera podrida. Luego puso su manta de piel de conejo en el suelo. Puso la madera en la manta, y también un arco, algunas flechas y una lanza. Luego envolvió todas esas cosas dentro de la manta y la ató bien con correas. La rata de madera le habló al bulto—. Bulto—dijo—habla con el hombre de los piñones como si fueras yo.

Entonces la rata de madera puso el bulto junto al borde del agujero y corrió lejos de ese lugar. Corrió y corrió hasta llegar al valle de Sacramento. En el valle había una cabaña de sudar, y la rata de madera entró.

Mientras la rata de madera huía, el hombre de los piñones seguía cavando el agujero. En ese momento, el bulto le dijo—: ¡Oye, hombre de los piñones! El agujero es lo suficientemente profundo. Ven y arrójame dentro. Seguramente me romperé el cuello en el fondo, y no podré molestarte más.

El hombre de piñones salió del agujero. Recogió el bulto de piel de conejo, pensando que era una rata. Luego tiró el bulto al agujero. Cuando el bulto tocó el fondo, se abrió de golpe, y el hombre de piñones vio la madera y las armas que habían estado dentro.

«¡Bueno!» se dijo a sí mismo. «Esa rata de madera es mucho más lista de lo que yo pensaba. Pero yo soy aún más inteligente. Puede que me haya engañado una vez, pero nunca más lo hará. Incluso puedo ver a través de las montañas, y soy el mejor rastreador del mundo. Seguiré el rastro de la rata de madera, y cuando la atrape, le pagaré por engañarme».

El hombre de los piñones miró a su alrededor, y pronto encontró el rastro de la rata de madera. Empezó a seguirla, corriendo por el mismo camino que había seguido la rata de madera, hacia el valle de Sacramento.

De vuelta en el valle, Blue Jay estaba en la cabaña de sudar en la que la rata de madera se había metido. Blue Jay era el jefe de la aldea, y se había impuesto el deber de buscar enemigos de vez en cuando para que los aldeanos pudieran protegerse. A lo lejos, Blue Jay vio a un hombre corriendo hacia la aldea muy rápido.

—¡Oye, rata!—dijo Blue Jay—. Hay un hombre corriendo hacia nuestro pueblo. Parece muy enfadado. ¿Por casualidad sabes quién es?

—Oh, ese es el hombre de los piñones—dijo la rata de madera desde el interior de la cámara de sudación—. Y sí, supongo que está bastante enfadado. Le jugué una buena broma hoy temprano. Pero sé cómo tratar con él. Asegúrate de que todas las entradas a la cabaña de sudar estén completamente selladas, excepto por un pequeño agujero justo en la parte superior. Yo me encargaré del resto.

Las otras criaturas hicieron lo que dijo la rata de madera. Sellaron la cabaña de sudar muy herméticamente e hicieron un pequeño agujero en la parte superior.

Justo cuando terminaron el trabajo, el hombre de piñones corrió hacia la aldea. Vio a los animales reunidos cerca de la cabaña de sudar y dijo—: Estoy buscando a mi cuñado. Lo quiero mucho y no lo he visto en mucho tiempo. ¿Saben por casualidad dónde está?

—Estoy aquí—dijo la rata de madera—. Estoy dentro de la cabaña de sudar.

El hombre de piñones caminó todo el camino alrededor de la cabaña, pero como estaba completamente sellada, no vio ninguna forma de entrar.

—¿Cómo puedo entrar?—preguntó el hombre de los piñones.

—Hay un pequeño agujero en la parte superior—dijo la rata de madera—. Esa es la forma de entrar. Así es como hacemos las cosas en este pueblo.

El hombre de los piñones subió a la cima de la cabaña de sudar y comenzó a abrirse camino en el pequeño agujero. Era un orificio muy apretado, y tuvo que trabajar muy duro para mover su cuerpo a través del agujero. Cuando el hombre de los piñones logró meter la mitad inferior de su cuerpo en la cabaña de sudar, la rata de madera tomó un palo afilado y le dio un fuerte golpe al hombre de los piñones en el estómago. Un chorro de piñones comenzó a salir del agujero. La rata de madera lo golpe de nuevo, y esta vez salieron más piñones. La rata de madera lo pinchó una y otra vez hasta que un gran chorro de piñones salió del cuerpo del hombre de los piñones y se apiló en el suelo de la cabaña de sudar. Pronto todo lo que quedaba del hombre de los piñones era una piel vacía con la cabeza, las manos y los pies pegados a ella. Ni siquiera había un esqueleto, porque el interior del hombre de los piñones estaba hecho solo de piñones.

Cuando lo que quedaba del hombre de los piñones cayó por el agujero, la rata de madera abrió la cabaña de sudar y los aldeanos entraron. Los aldeanos recogieron los restos del hombre de los piñones y los pusieron fuera de la cabaña.

Blue Jay miró el gran montículo de piñones que había caído del cuerpo del hombre de los piñones—. ¿Qué es esto?—preguntó—. Nunca he visto nada como esos. ¿Podemos comerlos? ¿Alguien los ha visto antes?—Pero ninguno de los aldeanos sabía qué eran los piñones, así que Blue Jay envió un mensajero a la siguiente aldea para ver si tenían a alguien que supiera de piñones.

El mensajero regresó con la ardilla gris. Los aldeanos invitaron a la ardilla gris a la cabaña de sudar y le ofrecieron un asiento. Cuando la ardilla gris se sentó, Blue Jay dijo—: Bienvenida a nuestro pueblo. Te pedimos que vinieras porque necesitamos tu ayuda. Tenemos este gran montón de algo aquí, y no sabemos lo que es. Tal vez puedas decirnos si esto es bueno o no.

—Tampoco los había visto antes—dijo la ardilla gris—pero probaré uno y les haré saber si son buenos.

La ardilla gris recogió un piñón. Lo olfateó y luego mordisqueó un poco del extremo. Sus ojos se hicieron muy grandes. Luego se comió el piñón entero.

—¡Oh, sí, sé lo que son!—dijo la ardilla gris—. Mi gente los come todo el tiempo. Son bastante deliciosos; ¡creemos que son el mejor tipo de comida en todo el mundo!

Entonces la ardilla gris tomó el saco que había traído y lo llenó de piñones para llevar a casa, pero cuando los aldeanos se dieron cuenta de que los piñones eran buenos para comer, cada uno quiso conseguir tanto para sí mismo como pudiera. Agarraron sus propios sacos y comenzaron a llenarlos con piñones. Pronto comenzaron las peleas cuando algunos aldeanos pensaron que otros habían tomado más de lo que les correspondía, y una persona cortó el saco de la ardilla gris para que todos sus piñones cayeran al suelo. La ardilla gris no tenía otro saco, y ninguno de los aldeanos le prestó uno de los suyos, así que se fue a casa con las manos vacías.

La rata de madera observó cómo se comportaron los aldeanos con los piñones. Se disgustó tanto que se fue lejos.

Parte IV: Cuentos de Héroes

Manabozho juega al lacrosse *(Menominee, bosque del Noreste)*

Manabozho es un héroe de la cultura algonquina tanto en los Estados Unidos como en el Canadá. Tiene muchos poderes diferentes, y funciona tanto como embaucador como creador, como lo hacen muchos héroes de la cultura indígena. Esta historia presenta la versión del héroe que tienen los Menominee de lo que ahora es el norte de Wisconsin.

El evento central de esta historia es un gran juego de lacrosse organizado por los espíritus del cielo y los espíritus subterráneos. Cada grupo de espíritus reúne un equipo de criaturas asociadas con sus diversos reinos y los enfrenta en un partido cósmico en un campo que se extiende desde Detroit hasta Chicago.

Jugado con una pequeña pelota y palos que tienen una red en un extremo, el lacrosse es un deporte indígena que se ha jugado en el norte de los Estados Unidos y en Canadá durante muchos siglos. Aunque el lacrosse de regulación moderna es jugado por un número relativamente pequeño de jugadores en un campo relativamente pequeño, los partidos jugados por los pueblos indígenas antes de la incursión de los europeos eran entre equipos que podían incluir cientos de jugadores en un campo de varios kilómetros de largo. Para los pueblos indígenas, el lacrosse era y sigue siendo un juego sagrado y era una importante expresión tanto de la identidad tribal como de las creencias espirituales.

Manabozho era un ser muy inteligente y poderoso. Algunos incluso dicen que hizo el mundo entero. Manabozho tuvo un hijo, que se llamaba Lobo. Un día de invierno, Lobo le dijo a su padre que iba a salir a cazar. Manabozho sabía que a Lobo le gustaba cazar en el estuario de la bahía de Green Bay, que estaba congelado en esta época del año.

—Cuídate, hijo mío—dijo Manabozho—y mantente alejado del hielo en la bahía de Green Bay. Es muy peligroso.

Lobo salió a cazar. Siguió el juego todo el camino alrededor de la bahía hasta que estuvo en el lado opuesto de su casa. Lobo ya estaba cansado de su largo día de caza, y el sol comenzaba a ponerse. ¡Tomar un atajo a través del hielo era muy tentador! Lobo pensó por un largo momento en la advertencia de su padre, pero luego decidió correr a través del hielo—. Soy el corredor más rápido del mundo—dijo Lobo—. Seguramente podré llegar al otro lado sin sufrir ningún daño.

Lobo comenzó a correr por el hielo. Pero cuando estaba a mitad de camino, el hielo empezó a agrietarse y a temblar bajo él. Se rompió en pequeños trozos que se arremolinaban en la corriente. El hielo estaba muy resbaladizo, y Lobo no pudo mantener su equilibrio. Cayó en el agua fría y profunda, donde se ahogó.

Cuando Manabozho se enteró de que su hijo había muerto, se entristeció mucho. Día y noche, lloró amargas lágrimas por su hijo, y con cada uno de sus sollozos, la tierra tembló. Incluso los espíritus comenzaron a tener miedo.

—Devolvámosle a su hijo—dijeron los espíritus subterráneos—. ¿Quién sabe lo que Manabozho podría hacer si su hijo se queda entre los muertos?

Y así fue como Lobo regresó a su padre—. ¡Mira, padre!—dijo—. ¡Estoy vivo otra vez!

—No importa—dijo Manabozho—. Ya he llorado demasiado.

Manabozho cogió una larga rama del fuego, con su extremo aún en llamas, y se la dio a Lobo—. Toma este fuego—dijo Manabozho—y ve hacia el oeste, tan lejos como puedas. Enciende el fuego allí. De ahora en adelante, cuando la gente muera, sus espíritus irán por ahí.

Aunque los espíritus subterráneos habían devuelto a Lobo, Manabozho seguía enfadado por la muerte de su hijo, y juró vengarse de los espíritus por permitir que eso ocurriera. Manabozho esperó y esperó la mejor oportunidad, pero durante mucho tiempo nada se presentó. Entonces, un día, Manabozho caminaba y escuchó a alguien que gritaba de alegría. Manabozho fue a buscar a quienquiera que estuviera haciendo el ruido, y pronto se encontró con un pequeño pez llamado Nakuti, que había estado gritando una y otra vez.

—Eh, Nakuti—dijo Manabozho— ¿qué pasa que estás tan contento? Te oí gritar desde muy lejos.

—Oh, es lo mejor—dijo Nakuti—. Los grandes espíritus del cielo han desafiado a los grandes espíritus subterráneos a un juego de lacrosse, ¡así que todos vamos a jugar lacrosse mañana! Los peces y los animales jugarán para los espíritus de abajo, y los pájaros y los seres del trueno jugarán para los espíritus de arriba, ¡y no puedo esperar!

Manabozho agradeció a Nakuti por contarle lo del juego y luego se fue por su camino, eufórico. Este era el momento que había estado esperando. Manabozho iría a este juego de lacrosse, donde se reunirían todos los espíritus, y allí vengaría la muerte de su hijo.

El día antes del partido de lacrosse, los espíritus subterráneos fueron a buscar el mejor lugar para ver el partido, uno de cuyos objetivos era en Detroit y el otro en Chicago. Los espíritus salieron del agua y subieron a una montaña que daba al campo de juego. Satisfechos de que este era el mejor lugar, volvieron a sus casas.

Manabozho vio sus huellas subiendo la montaña y volviendo a bajar. Subió la montaña él mismo y se dio cuenta de lo que los espíritus subterráneos debían haber estado haciendo. Manabozho se convirtió en un pino que estaba todo quemado por un lado, y allí en la cima de la montaña, esperó.

Al día siguiente, al amanecer, todos los animales, peces, pájaros y seres del trueno llegaron al campo de juego. Cada equipo hacía los ruidos más estridentes que podía, tratando de asustar a sus oponentes. Cuando todos llegaron, cada criatura tomó una forma humana y tomó su lugar en el campo. Una vez que todos los jugadores estaban en su lugar, todos se callaron hasta que la pelota fue lanzada al juego. Entonces, con un gran rugido de cada lado, el juego comenzó. Corrieron por todo el campo, cada equipo luchando para conseguir la posesión del balón y lanzarlo a través de la portería de su oponente.

En un momento dado, uno de los equipos consiguió el balón y se dirigió hacia la portería de Chicago. El equipo contrario redobló sus esfuerzos, y en el tumulto que siguió, todo era tan borroso de palos de lacrosse, brazos, piernas, polvo y gritos que Manabozho no podía ver lo que estaba pasando. Emocionado, olvidó que se suponía que debía permanecer oculto como un árbol, y se convirtió de nuevo en un hombre, esperando poder ver mejor el juego.

La repentina aparición de Manabozho en medio de ellos sorprendió a los espíritus subterráneos. Al darse cuenta de que se había revelado accidentalmente, Manabozho cogió su arco y flechas y empezó a disparar a los espíritus. Los espíritus bajaron corriendo por la montaña y se zambulleron de nuevo en el lago, tratando de evadir las flechas de Manabozho, pero no sirvió de nada: a quienquiera que Manabozho apuntara fue atravesado por una flecha. La prisa de tantos espíritus por volver a las aguas provocó que se formaran grandes olas en el lago. Las olas se precipitaron sobre la orilla del lago y sobre el campo de juego.

Los jugadores de lacrosse habían visto a los espíritus subterráneos correr de vuelta al lago y les habían oído gritar "¡Manabozho!

Manabozho!" mientras huían. Todos los jugadores volvieron al centro del campo para decidir qué hacer. Era intolerable que alguien fuera tan descarado como para atacar a los espíritus subterráneos.

—¿Cómo vamos a encontrar y atrapar a Manabozho?—preguntó un jugador.

—Usaremos el poder del agua—dijo otro.

—¡Sí! El agua se enfadará con él y nos mostrará exactamente a dónde ha ido—dijo un tercero.

Los otros jugadores estuvieron de acuerdo en que era un buen plan, así que todos se metieron en el lago. Cuando todos entraron en el lago, el agua se elevó y salió del lecho del lago, con la intención de atrapar a Manabozho y castigarlo por disparar a los espíritus subterráneos.

Manabozho, mientras tanto, había dejado de disparar a los espíritus y había empezado a huir, porque sabía que los espíritus y sus aliados nunca le dejarían ir sin castigo. Huyó del campo de lacrosse tan rápido como pudo, pero pronto escuchó un torrente de agua detrás de él. Miró hacia atrás y vio las aguas del lago inundándose tras él.

Manabozho estaba aterrorizado. Redobló su velocidad, pero no importaba cuán rápido corriera, las aguas lo estaban alcanzando. Manabozho corrió cada vez más rápido y el agua se acercó cada vez más. Finalmente Manabozho corrió más allá de una montaña. Cambió de rumbo y corrió por la ladera de la montaña, pensando que podría escapar del agua subiendo más alto. Pero no sirvió de nada; el agua subió por las laderas de la montaña.

En la cima de la montaña había un alto pino. Manabozho corrió hacia el árbol y dijo—: ¡Oh, pequeño hermano! Las aguas del lago me persiguen y me ahogarán si me atrapan. ¿Puedes ayudarme?

—Por supuesto—dijo el árbol—. ¿Qué quieres que haga?

—Déjame subir a tus ramas, y cuando el agua suba lo suficiente para atraparme, crece otro largo para alejarme de ella.

—Muy bien—dijo el árbol—pero solo puedo crecer otros cuatro largos.

Manabozho subió a prisa por el árbol, llegando a las ramas superiores justo cuando las aguas del lago empezaron a arremolinarse alrededor de las raíces del árbol. Pero Manabozho aún no estaba a salvo; las aguas subieron y subieron hasta casi tocar sus pies.

—¡Pequeño hermano!—dijo Manabozho al árbol— ¡por favor, crece!

Y así el árbol creció otra longitud, elevando a Manabozho muy por encima de la inundación. Pero esto no duró mucho, ya que las aguas continuaron subiendo rápidamente.

De nuevo Manabozho pidió al árbol que creciera, y de nuevo creció y lo elevó por encima del diluvio. Aun así las aguas se elevaron alrededor del tronco del árbol. Una tercera vez Manabozho le pidió al árbol que creciera, y las aguas se elevaron aún más, amenazando con alcanzar a Manabozho y arrastrarlo a las profundidades.

—¡Oh, pequeño hermano, por favor crece una última vez!—dijo Manabozho al árbol.

El árbol subió su cuarta y última longitud. Allí Manabozho cerró los ojos, se aferró a las ramas y esperó la muerte, pero cuando abrió los ojos para ver si las aguas seguían subiendo, se dio cuenta de que se habían detenido y que estaba a salvo.

Glooscap y el tío Tortuga *(Wabanaki, bosque del Noreste)*

Glooscap es el héroe cultural de los pueblos wabanaki del noreste de los Estados Unidos y de las provincias marítimas canadienses. El término "Wabanaki" no se refiere a una sola cultura sino a la confederación de los pueblos Mi'kmaq, Maliseet, Passamaquoddy, Abenaki y Penobscot.

En esta historia, en lugar de luchar contra monstruos o realizar otras acciones valientes, Glooscap juega un papel secundario con su viejo tío Tortuga, un viejo feo y perezoso. El tío Tortuga, que también se llama Mikchich, actúa como una especie de filtro para su guapo y fuerte sobrino. Glooscap usa sus poderes para convertir a Mikchich en un joven y guapo hombre para que pueda conseguir una esposa, pero nada de lo que Glooscap haga por su tío puede cambiar su pereza. Mikchich aprende una dura lección de humildad y de seguir instrucciones cuando termina atrapado bajo el cuerpo de una ballena que Glooscap le da la fuerza para levantar por sí mismo.

Hubo un tiempo en que Glooscap fue a Pictou para quedarse con su tío Tortuga. Glooscap llegó al pueblo, pero no se quedó como huésped con nadie más que su viejo tío. Esto fue muy decepcionante para las jóvenes del pueblo, ya que Glooscap era muy fuerte y guapo, y todas querían que viniera y se quedara en sus wigwams—. ¿Por qué ese joven apuesto de Glooscap se queda con Mikchich, esa vieja y fea tortuga?—se quejaron—. No es justo que elija a ese viejo perezoso en vez de a jóvenes hermosas como nosotras.

Pero Glooscap eligió quedarse con su tío, porque, aunque Mikchich era viejo y feo y muy perezoso, Glooscap le tenía cariño y le deseaba lo mejor.

Un día, Glooscap le dijo a Mikchich—: Tío, ¿por qué no te has casado nunca? Deberíamos buscarte una esposa. No deberías tener que vivir aquí solo.

—Bah—dijo Mikchich—. ¿Quién me querría, con mi aspecto? Puede que sea viejo, pero no soy sordo ni ciego. Sé lo que las jóvenes piensan de mí. No, no tiene sentido buscar, sobrino. No tiene sentido en absoluto.

—Quizá—dijo Glooscap—pero dentro de unos días habrá una gran fiesta en el pueblo. Habrá muchas mujeres jóvenes allí. Quizá encuentres una esposa en la fiesta.

Mikchich se rió—. Aunque fuera tan guapo como tú, no tengo la ropa adecuada para ir a una fiesta. Soy pobre, y mi ropa está desgastada. Todos se reirían de mí. Prefiero quedarme en casa donde estoy cómodo. Ve al banquete, sobrino, y diviértete. Te esperaré aquí.

Glooscap no quería ir al banquete, pero sí quería ayudar a su tío. Así que dijo—: Tío, ¿y si te ayudo? ¿Y si te hago guapo y te doy buena ropa para que la uses? ¿Irías a la fiesta entonces y buscarías una esposa?

—Si puedes hacer eso, entonces sí, iría con gusto—dijo Mikchich, sin creer que Glooscap pudiera cambiarlo así.

Glooscap se quitó el cinturón y se lo entregó a su tío—. Toma, tío—dijo—ponte esto y veremos qué sigue.

Mikchich cogió el cinturón de Glooscap y se lo puso. Su piel comenzó a alisarse y se convirtió en la piel de un joven. Sus flacas y viejas extremidades se redondearon con músculo. Su fea cara se volvió muy hermosa. Sus ropas andrajosas se convirtieron en las más finas que nadie había visto. Pronto había dos jóvenes guapos de pie en la casa del tío Tortuga.

—¡Bueno, mírame ahora!—dijo Mikchich—. ¡Estoy ciertamente listo para ir a la fiesta y encontrar una esposa!

Mikchich fue a la fiesta. Entró en los juegos y compitió con todos los jóvenes. Cada juego en el que participaba, ganaba, y todas las jóvenes estaban muy interesadas en este nuevo extraño que era más guapo, más fuerte y más hábil que todos los demás jóvenes de allí.

Mientras las jóvenes observaban a Mikchich, él las observaba a ellas. Vio muchas mujeres hermosas que pensó que harían de cualquier hombre una buena esposa, pero sus ojos volvieron a una mujer en particular. Era más hermosa que todas las demás, y al final del día, Mikchich tenía su corazón puesto en ella. Mikchich volvió a su wigwam y dijo—: Sobrino, he encontrado la mujer con la que quiero casarme. Es la hija más joven del jefe.

—¡Eso es bueno!—dijo Glooscap—. Iré a preguntarles a sus padres por ti.

Glooscap cogió un montón de wampum y fue a la wigwam del jefe. Allí habló con los padres de la joven y les dio el wampum.

—¿Debemos dejar que nuestra hija se case con este Mikchich?—le preguntó el jefe a su esposa.

—Sí, creo que sería un muy buen marido—dijo su esposa—. Lo vi en la fiesta, y parece ser un buen hombre.

El jefe llamó a su hija más joven—. Te hemos encontrado un marido—dijo—. Prepara una buena comida, y prepara un colchón para tu joven.

La joven hizo lo que su padre le dijo. Tomó un buen venado y cocinó una comida, y mientras se cocinaba, hizo un colchón con las ramas de los árboles y lo cubrió con una manta de pieles. Cuando todo estuvo listo, la joven fue a la casa de Mikchich a buscarlo. La joven llevó a su nuevo marido al wigwam de sus padres, donde se sentó en el colchón que ella había hecho y comió la comida que había preparado, y así Mikchich y la joven se casaron.

En algún momento después de la boda, la joven fue a ver a Mikchich y le dijo—: Tienes que ir de caza. No tenemos suficiente comida. Nos vamos a morir de hambre.

Mikchich era muy perezoso. No quería ir de caza. Pero su esposa insistió, así que dejó el wigwam, pensando que caminaría un rato y luego iría a casa y le diría a su esposa que no había podido atrapar nada. Durante su paseo, bajó por la orilla del mar, donde encontró a algunos de los hombres tratando de tirar de una ballena que habían atrapado hasta el pueblo. «¡Ajá!» pensó Mikchich. «Sé cómo hacer creer a mi esposa que soy un buen cazador y un buen marido, y será fácil».

Mikchich fue a ver a su sobrino, Glooscap. Le explicó que quería llevar la ballena a casa para mostrarle a su esposa lo buen proveedor que podía ser. Glooscap escuchó atentamente a su tío y luego dijo—: De acuerdo. Te daré la fuerza para mover la ballena tú solo. ¡Pero no la lleves más lejos que el wigwam de tu suegro!

Mikchich bajó a la playa, donde los hombres todavía estaban luchando por sacar la ballena a tierra—. ¡Puedo ayudar con eso!—dijo Mikchich—. Lo llevaré al pueblo yo mismo.

Los otros hombres se rieron—. Si veinte de nosotros trabajando juntos ni siquiera podemos llevar esta gran bestia a la playa, ¿cómo crees que te va a ir llevándola tú solo?

Mikchich insistió, así que los hombres le dejaron intentar, pensando que al menos serían capaces de reírse de los esfuerzos de Mikchich. No se rieron mucho, porque Mikchich se metió en el mar y puso sus hombros bajo la ballena. Dio un gran salto y se puso la ballena en su espalda. Luego comenzó a caminar de regreso a la aldea, llevando la ballena él solo, mientras los otros hombres de la aldea miraban incrédulos.

—¡Esto es fácil!—dijo Mikchich—. ¿Por qué debería detenerme en el wigwam del jefe? Llevaré esto hasta mi casa, y mi esposa verá que soy un poderoso cazador, ¡y también lo verán todos los hombres! Veremos quién se ríe cuando termine con esto.

Esto fue un gran error. Como Mikchich pensaba en lo maravilloso que era y en cómo todos le envidiaban, y en cómo haría incluso más de lo que Glooscap le dijo que hiciera, Mikchich tropezó en su camino hacia el pueblo, y la ballena se le vino encima. La gente se reunió alrededor de la ballena, preguntándose qué hacer. Pronto llegó Glooscap.

—¡Tu tío está debajo de la ballena!—gritó la gente—. Tropezó cuando la llevaba, ¡y ahora está aplastado! ¿Qué debemos hacer?

Glooscap se rio—. Mi tío estará bien—dijo—. Corten la ballena aquí mismo y lleven los trozos al pueblo.

Los aldeanos hicieron lo que Glooscap dijo. Cortaron la ballena y la llevaron al pueblo, donde prepararon un gran festín. Cuando la comida estaba cocinada y la gente estaba sentada y comiendo y disfrutando, ¿quién debería entrar en la aldea sino Mikchich, con un aspecto tan malo?

Mikchich se dio cuenta de que la gente lo miraba fijamente—. Oh, no se preocupen por mí—dijo—solo estaba tomando una siesta en la playa.

Y hasta hoy, las tortugas tienen el caparazón plano por cómo el tío Tortuga fue aplastado por la ballena.

Mujer Valiente *(Hunkpapa Sioux, Grandes Llanuras)*

Algunas historias indígenas presentan héroes femeninos cuya valentía y fuerza salvan a su pueblo del desastre o ganan honor para ellas y sus familias. El siguiente relato, de los sioux hunkpapa, explica cómo una joven llamada Mujer Valiente vengó la muerte de sus hermanos, que habían muerto en la batalla contra los Cuervo. Aunque esta historia se presenta en un libro de mitos, es muy posible que tenga una base en hechos históricos.

La lucha por el acceso al territorio y a los recursos alimenticios era común entre los indios de las llanuras. En estas batallas, los guerreros podían realizar diferentes tipos de actos de valentía para ayudar a su pueblo a ganar y también para obtener gloria personal para ellos mismos. Uno de estos actos se conocía como "cuenta de golpes", en el que el guerrero cabalgaba hacia un enemigo, lo tocaba con una mano o un palo, y luego se alejaba. Contar el golpe de un enemigo le daba al guerrero un gran estatus, y se consideraba una extrema vergüenza permitir que un enemigo cuente el golpe de uno mismo.

Mujer Valiente cabalga a la batalla no para pelear y matar sino para contar el golpe, para traer la desgracia a los guerreros que mataron a sus hermanos. Aunque el padre de Mujer Valiente se entristece por su deseo de ir a la batalla, no intenta detenerla. En su lugar, le concede el honor de llevar su propio bastón de golpe y su propio tocado de guerra de plumas de águila.

Esta historia está basada en una versión contada por Jenny Leading Cloud, miembro de la Reserva Rosebud en Dakota del Sur.

Hace mucho, mucho tiempo, antes de que los blancos llegaran a lo que hoy es Minnesota, vivía un jefe de los sioux hunkpapa llamado Tawa Makoce, o "Su País". Fue un gran guerrero en su mejor momento y un líder muy sabio. Su gente confiaba y le honraba. Su

País tuvo cuatro hijos: tres hijos y una hija. La hija se llamaba Winyan Ohitika, que significa "Mujer Valiente".

En esa época, los hunkpapa estaban a menudo en guerra con la tribu Cuervo. Los hunkpapa y los cuervo pelearon muchas batallas, y cuando los hijos de Su País tuvieron la edad suficiente, fueron a la guerra, con la esperanza de probarse a sí mismos y de estar a la altura del ejemplo de su gran padre. Pero los hijos de Su País no compartieron la buena fortuna de su padre. Uno por uno, los tres jóvenes murieron en batallas contra los cuervo, y pronto de los cuatro hijos de Su País solo quedó Mujer Valiente.

Mujer Valiente era muy hermosa. Muchos jóvenes querían tenerla como esposa, pero cada vez que el padre de un joven iba a pedirle que fuera la novia de su hijo, Mujer Valiente se negaba. No importaba lo guapo que fuera el joven o cuántos caballos ofreciera la familia del joven como dote. Mujer Valiente no aceptó casarse con ninguno de ellos. A cada uno le dijo—: Todos mis hermanos han caído en la batalla contra los cuervo. No me casaré hasta que no haya salido a la batalla yo misma para vengar sus muertes.

Llegó un momento en que los cuervo trataron de tomar más territorio a lo largo del río Alto Missouri, territorio que los hunkpapa consideraban suyo. Los hunkpapa montaron un grupo de guerra para ir tras los cuervo y hacerlos retroceder del área que acababan de tomar. Entre el grupo de guerra había dos jóvenes que habían competido por la mano de Mujer Valiente. Uno se llamaba Cuerno Rojo, y el otro Águila Pequeña. Cuerno Rojo era hijo de un jefe, y su padre había intentado muchas, muchas veces conseguir que Mujer Valiente aceptara casarse con su hijo. En cambio, Águila Pequeña era de familia pobre, y aunque quería mucho a Mujer Valiente, nunca fue capaz de tener el valor de pedirle la mano.

Cuando Mujer Valiente vio que un grupo de guerra iba a enfrentarse a los cuervo, vio que había llegado su hora de la venganza. Se puso sus mejores ropas y tomó las armas de sus hermanos. Preparó el mejor caballo de su padre. Luego fue a su padre y le dijo—:

Padre, ha llegado el momento de ir a contar los golpes contra los cuervo. Ha llegado el momento de vengar a mis hermanos. Por favor, no intentes detenerme; esto es algo que debo hacer.

—Hija mía, eres la única hija que me queda. Me gustaría que te quedaras en casa conmigo. Pero sé lo fuerte que es tu deseo, y es un buen deseo. Puedes ir, con mi bendición. Aquí está mi tocado de guerra. Llévalo con orgullo. Haz lo que debas hacer.

Mujer Valiente se puso el tocado de guerra de su padre. Montó su poni y se unió al grupo de guerra. Al principio, los guerreros se sorprendieron al verla, pero no le pidieron que se fuera. Mujer Valiente fue donde Cuerno Rojo—. Toma la lanza y el escudo de mi hermano mayor—dijo—. Cuenta con ellos los golpes para él. —Luego se dirigió a Águila Pequeña y le dijo—: Toma el arco y las flechas de mi hermano medio. Cuenta los golpes para él con ellos. —Mujer Valiente le dio el garrote de guerra de su hermano menor a otro guerrero. Para ella, guardó el palo de golpe de su padre.

El grupo de guerra se encontró con un campamento de los cuervo y cabalgaron para atacar. Mujer Valiente no fue con el primer ataque; se quedó atrás y cantó canciones de guerra e hizo el grito de guerra que las mujeres sioux hacen para animar a sus hombres mientras luchan. Pronto se hizo evidente que los hunkpapa no tendrían éxito. Fueron superados en número por los cuervo, y cuando los cuervo hicieron retroceder al grupo de guerra Hunkpapa, Mujer Valiente espoleó a su poni y se metió en la pelea. Mujer Valiente no intentó herir o matar a los guerreros cuervo. En su lugar, los tocó con el palo de golpe de su padre, contando los golpes de sus hermanos muertos. Cuando los guerreros hunkpapa vieron el coraje con el que Mujer Valiente cabalgaba aquí y allá entre los cuervo, se reunieron, y por un momento pareció que podrían hacer retroceder al enemigo.

Pero la presión de los guerreros cuervo era demasiado grande. Los hunkpapa fueron expulsados de nuevo. De repente, el poni de Mujer Valiente se tambaleó y cayó. Había muerto por un disparo de mosquete. Cuerno Rojo vio caer a Mujer Valiente. Pasó junto a ella sin siquiera mirarla, y Mujer Valiente desdeñó pedirle ayuda. Un momento después, Águila Pequeña galopó hasta donde estaba Mujer Valiente. Desmontó y le pidió que se subiera a su poni.

Mujer Valiente montó el poni y esperó a que Águila Pequeña se uniera a ella—. Tienes que ir sola—dijo Águila Pequeña—. Mi poni fue herido en la batalla. No podrá llevarnos a los dos a salvo.

—¡No puedo dejarte aquí a pie!—dijo Mujer Valiente—. Los cuervo seguramente te

matarán.

Como respuesta, Águila Pequeña tomó el arco del hermano de Mujer Valiente y golpeó al poni en la grupa con él. El poni se escapó y se llevó a Mujer Valiente lejos de la batalla. Águila Pequeña regresó a la batalla para ayudar a su grupo de guerra.

Cuando Mujer Valiente pudo controlar el poni, también volvió a la batalla. Allí reunió a todos los guerreros hunkpapa, y su coraje y furia los entusiasmó tanto que derrotaron a los cuervo, a pesar de su abrumadora cantidad. Los cuervo tuvieron que admitir la derrota, y por eso se fueron del Alto Missouri.

Los hunkpapa estaban agradecidos por su victoria, pero también lloraban por todos los guerreros que habían caído en la batalla. Entre los caídos estaba Águila Pequeña, que tan valientemente había ayudado a su amigo. Cuerno Rojo fue despreciado por abandonar a Mujer Valiente. Su arco se rompió, y fue enviado de vuelta a su propio pueblo.

Los hunkpapa llevaron el cuerpo de la Águila Pequeña al lugar donde los cuervo habían acampado. Allí levantaron un andamio en lo alto del suelo y colocaron a Águila Pequeña sobre él. Mataron a su poni debajo del andamio para que pudiera seguir sirviendo a Águila Pequeña en la otra vida.

De vuelta en el campamento de los hunkpapa, Mujer Valiente se cortó los antebrazos y se cortó el pelo. Rompió su fina túnica. Hizo todo esto para mostrar que lloraba por Águila Pequeña. Durante el resto de su vida, se negó a casarse con nadie y pidió que la trataran como si fuera la viuda de Águila Pequeña. El pueblo honró su petición desde ese momento.

Chico Coágulo de Sangre *(Ute, Gran Cuenca)*

El búfalo era una de las fuentes más importantes de alimento, ropa y refugio para los pueblos de las Grandes Llanuras y la Gran Cuenca en el oeste de los Estados Unidos. No es sorprendente, entonces, que el búfalo también figure en gran medida en la narración de estas culturas.

Coágulo de Sangre es un héroe de la cultura asociado particularmente con el búfalo, y es mantenido en común por muchas tribus de las Llanuras y la Cuenca. En esta historia del pueblo Ute, Coágulo de Sangre tiene un nacimiento milagroso de un coágulo de sangre de búfalo que se coloca en una estufa para que se convierta en sopa para dos ancianos que están muriendo de hambre. Ese Coágulo de Sangre es un ser sobrenatural, lo que se confirma por su prodigioso crecimiento; solo tarda unos días en alcanzar la madurez física, tras lo cual muestra una destreza sobrenatural en la caza que es peligrosa para los demás.

Como sucede con estos seres, Coágulo de Sangre no pasa mucho tiempo entre los humanos comunes. Cuando la esposa de Coágulo de Sangre rompe el tabú de decir la palabra "ternero" en el oído de su marido, Coágulo de Sangre huye del campamento de la gente y se convierte en un búfalo, en cuya forma vaga por las praderas para siempre.

Hace mucho tiempo, vivían un hombre muy viejo y su esposa. La vida era muy difícil para ellos. El anciano hacía todo lo posible por cazar para traer comida, pero vivían en un lugar donde la caza era muy escasa, por lo que a menudo pasaban hambre.

Un día el viejo salió a cazar. Mientras caminaba, notó un conjunto de huellas de búfalo. El corazón del viejo se elevó. Si pudiera conseguir un solo búfalo, él y su esposa comerían bien durante mucho tiempo. Podrían darse un festín de carne fresca esta noche y secar el resto para después.

El viejo siguió las huellas con cuidado, pero lo único que encontró fue un gran coágulo de sangre en el suelo. Recogió el coágulo suavemente, lo guardó en su camisa y se fue a casa, donde le dio el coágulo a su esposa para que lo cocinara. La anciana puso el coágulo de sangre en una olla con un poco de agua y lo puso sobre el fuego, pero cuando la olla comenzó a humear, ¡de repente hubo gritos que salían del interior de la olla! El viejo fue a la olla y miró dentro. En lugar del coágulo de sangre, había un pequeño niño, agitando sus puños y llorando. El viejo sacó al niño de la olla. La anciana lo bañó y lo envolvió en ropa de abrigo, y pronto el bebé se durmió.

Por la mañana, la pareja de ancianos se sorprendió al ver que el bebé había crecido durante la noche. Continuó creciendo durante el día. Al atardecer, era lo suficientemente grande y fuerte para gatear. Al día siguiente, intentaba ponerse de pie, y al día siguiente, empezó a caminar solo. La pareja de ancianos llamaron al niño "Coágulo de Sangre", y lo criaron como su hijo.

Pronto Coágulo de Sangre fue lo suficientemente grande como para salir a cazar. Su padre le hizo un arco y flechas, y cada día Coágulo de Sangre cazaba y volvía con algo para que la familia comiera. A veces atrapaba un conejo. A veces atrapaba un ciervo. Otras veces traía a casa pájaros. Pero nunca volvía a casa con las manos vacías, y la pareja de ancianos se regocijaba de ya no tener que pasar hambre.

Un día, cuando Coágulo de Sangre había crecido hasta la estatura de un joven, fue a ver a sus padres y les dijo—: Me gustaría ir a buscar otro pueblo y conocer gente nueva. No les dejaré con hambre; voy a ir a cazar ahora y cazaré todo el día y toda la noche. Tienen que quedarse dentro del tipi. Pongan peso en los bordes con rocas, y cierren la puerta con seguridad para que el tipi no se vuele. No importa cuánto el viento pueda aullar, deben quedarse dentro. Les llamaré cuando puedan salir.

La pareja de ancianos hizo lo que su hijo les ordenó. Pasaron el día dentro del tipi, pero todo estaba tranquilo. Al atardecer, se durmieron profundamente hasta el amanecer, cuando el sonido de un fuerte viento comenzó a correr por toda la casa.

—Debo ir a ver qué es este torbellino—dijo el viejo, pero su esposa dijo—: ¡No! Debemos permanecer dentro como Coágulo de Sangre nos dijo que hiciéramos.

El viejo se quedó dentro, y él y su esposa temblaron de miedo mientras el viento rugía y rugía alrededor de su casa y sacudía el tipi. De repente, el viento se detuvo, y escucharon a Coágulo de Sangre llamándolos—. ¡Madre! ¡Padre! ¡Ya pueden salir!—dijo.

La pareja de ancianos dejaron el tipi y se quedaron asombrados. Alrededor de su casa había docenas de búfalos muertos—. Los he matado a todos para ustedes—dijo Coágulo de Sangre—. Pueden secar la carne y curar los cueros. Esto les durará mucho, mucho tiempo. Pronto debo seguir mi camino. Madre, ¿podrías empacar un poco de comida para que me la lleve conmigo?

—Sí, hijo mío—dijo la anciana. Ella le empacó un pemmican para que se lo llevara mientras se preparaba para el viaje. Cuando todo estuvo listo, Coágulo de Sangre se despidió de sus padres y se dispuso a buscar un pueblo para conocer mucha gente nueva. Llevaba sus mejores pantalones de piel y llevó consigo su mejor arco y un fino carcaj de flechas.

Después de unos días, Coágulo de Sangre se encontró con un pueblo de gente. Se dirigió a una de las personas que vivían al borde del campamento y preguntó dónde podría encontrar al jefe. El hombre le dijo a Coágulo de Sangre que el alojamiento del jefe estaba en el centro del campamento. Coágulo de Sangre fue a la cabaña. Allí encontró al jefe y a su hija sentados juntos afuera.

—Bienvenido—dijo el jefe—. Siéntate con nosotros. Dinos tu nombre y quién es tu gente.

Coágulo de Sangre agradeció al jefe y se sentó—. Mi nombre es Coágulo de Sangre, pero no sé quién es mi gente. Estoy aquí para visitarte.

El jefe invitó a los otros aldeanos a conocer a su nuevo visitante. Todos fueron a la cabaña del jefe, a pesar de que estaban débiles por el hambre debido a la falta de juego. Cuando todos se reunieron, el jefe dijo—: Este joven se llama Coágulo de Sangre. Dice que no sabe quiénes son los suyos. ¿Quizás uno de nosotros lo sabe?

—¿Eres del pueblo de los ciervos?—preguntó uno. Coágulo de Sangre dijo que no creía.

—¿Qué hay de la gente de las nutrias?—preguntó otro.

—No, eso tampoco suena bien—dijo Coágulo de Sangre.

La gente enumeró tribu tras tribu, pero ninguno de ellos sonaba bien para Coágulo de Sangre hasta que un anciano dijo—: Tal vez seas uno de los búfalos. Al mirarte aquí, siento que eres de la tribu de los búfalos.

Coágulo de Sangre pensó en esto por un momento, y luego estuvo de acuerdo en que esto sonaba bien. A la gente del pueblo le gustaba mucho Coágulo de Sangre. Le pidieron que se quedara en su aldea, y pronto le preguntaron si le gustaría casarse con la hija del jefe. Coágulo de Sangre estuvo de acuerdo, y los jóvenes se casaron.

La noche de la boda, Coágulo de Sangre fue a su suegro y le dijo—: Por favor, tráeme una flecha de tu tipi. Entonces dile a toda la gente del pueblo que pongan piedras en el fondo de sus tipis para sujetarlos, y que cierren las puertas con seguridad. Deberías hacer lo mismo con tu tipi. Alrededor del amanecer, oirás el ruido de un gran torbellino, pero todos deben permanecer dentro. Les haré saber cuando sea seguro salir.

El jefe y los aldeanos hicieron lo que Coágulo de Sangre les ordenó, y al amanecer escucharon el ruido de un fuerte viento que soplaba a través de su campamento. Sacudió los tipis, y la gente se asustó, pero permanecieron dentro hasta que el viento se detuvo y escucharon el llamado de Coágulo de Sangre.

—¡Salgan!—dijo Coágulo de Sangre—. ¡Tengo algo bueno que mostrarles!

La gente salió de sus tipis y jadeó con asombro. En la puerta de cada tipi de la aldea, había un búfalo muerto. La gente limpió a los búfalos y preparó algo de carne para un gran festín. El resto lo secaron para usarlo después, y prepararon la piel, los huesos y los órganos en sus formas tradicionales para usarlos como herramientas, ropa y otras cosas necesarias.

En el festín, Coágulo de Sangre le dijo a su esposa—: Porque soy del pueblo Búfalo, nunca debes decir la palabra "ternero" en mi oído. El Ternero de Búfalo es parte de lo que soy, y no debes decir esa palabra.

Coágulo de Sangre vivió felizmente con su esposa en su pueblo durante mucho tiempo. Pero un día una manada de búfalos pasó cerca de la aldea. Coágulo de Sangre y los otros cazadores salieron y mataron muchos búfalos buenos. Mientras la gente de la aldea desollaba y vestía los animales muertos, otra manada de búfalos pasaba muy cerca de la aldea. En el borde exterior de la manada había un buen ternero joven. La esposa de Coágulo de Sangre lo vio, y olvidando lo que su marido le había dicho, gritó—: ¡Maten a ese ternero!

Tan pronto como Coágulo de Sangre escuchó el grito de su esposa, saltó sobre su caballo y cabalgó hacia el búfalo. La esposa de Coágulo de Sangre corrió tras él, llorando y gritando para que volviera, pero sin éxito. Cuando Coágulo de Sangre entró en la manada, empezó a cambiar de forma, y pronto se convirtió en un búfalo. Coágulo de Sangre nunca regresó a su aldea. Desde entonces, siguió siendo un búfalo y corrió con su manada.

Vea más libros escritos por Matt Clayton

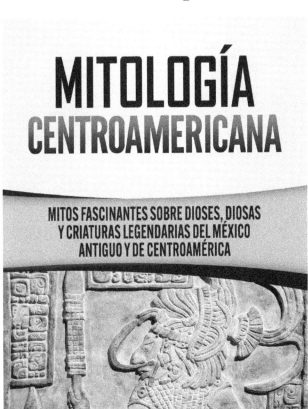

Bibliografía

Mitos y leyendas indígenas

Albert, Roy, et al. *Coyote Tales (English Version)*. Flagstaff: North Arizona Supplementary Education Center, 1970.

Arkansas Archeological Survey. "Story 4: Coyote and the Origins of Death". *Indians of Arkansas*. <archeology.uark.edu/indiansofarkansas/index.html?pageName=Story 4: Coyote and the Origins of Death> Acceso 9 agosto 2019.

Barrett, Samuel Alfred. "Pomo Myths". *Bulletin of the Public Museum of the City of Milwaukee* 15 (1933): 1-608.

———. *Myths of the Southern Sierra Miwok*. Berkeley: University of California Press, 1919.

Bayliss, Clara K. *A Treasury of Eskimo Tales*. New York: Thomas Y. Crowell Company, 1922.

Bierhorst, John. *The Mythology of North America*. New York: William Morrow and Company, 1985.

Bloomfield, Leonard. *Menomini Texts*. New York: G. E. Stechert, 1928.

Clark, Ella E. *Indian Legends of the Pacific Northwest*. Berkeley: University of California Press, 1953.

Curtis, Natalie. "Creation Myth of the Cochans (Yuma)." *The Craftsman* 16 (1909): 559-67.

DeArmond, Dale. *The Boy who Found the Light.* San Francisco: Sierra Club Books, 1990.

Dorsey, George A. *Traditions of the Caddo.* Washington, D. C.: Carnegie Institution of Washington, 1905.

Erdoes, Richard, and Alfonso Ortiz, eds. *American Indian Myths and Legends.* New York: Pantheon Books, 1984.

——. *The Sound of Flutes and other Indian Legends.* New York: Pantheon Books, 1976.

Gifford, Edward Winslow, and Gwendoline Harris Block. *Californian Indian Nights Entertainment.* Glendale: Arthur H. Clark Company, 1930.

Huffstetler, Edward W. *Myths of the World: Tales of Native America.* New York: Metro Books, 1996.

Judson, Katharine Berry. *Myths and Legends of British North America.* Chicago: A. C. McClurg & Co. 1917.

——. *Myths and Legends of California and the Old Southwest.* Chicago: A. C. McClurg & Company, 1912.

——. *Myths and Legends of Alaska.* Chicago: A. C. McClurg & Co., 1911.

——. *Myths and Legends of the Pacific Northwest.* Chicago: A. C. McClurg & Co., 1910.

Kroeber, Alfred L. "Cheyenne Tales". *Journal of American Folk-Lore* 13 (1900): 161-90.

Latta, Frank Forrest. *California Indian Folklore.* Self-published, Shafter, California, 1936.

Leeming, David Adam. *Creation Myths of the World: An Encyclopedia.* 2nd ed. Volume 1: Parts I and II. Santa Barbara: ABC-CLIO, 2010.

———, and Jake Page. *The Mythology of Native North America.* Norman: University of Oklahoma Press, 1998.

———, and Margaret Leeming. *A Dictionary of Creation Myths.* Oxford: Oxford University Press, 1994.

Leland, Charles G. *The Algonquin Legends of New England: or, Myths and Folk Lore of the Micmac, Passamaquoddy, and Penobscot Tribes.* Boston: Houghton, Mifflin and Company, 1884.

Malotki, Ekkehart. *Gullible Coyote/Una'ihu: A Bilingual Collection of Hopi Coyote Stories.* Tucson: University of Arizona Press, 1985.

Mayer, Marianna. *Women Warriors: Myths and Legends of Heroic Women.* New York: Morrow Junior Books, 1999.

Mechling, W. H. *Malecite Tales.* Ottawa: Government Printing Bureau, 1914.

Millman, Lawrence. *A Kayak Full of Ghosts.* Santa Barbara: Capra Press, 1987.

Morris, Cora. *Stories from Mythology: North American.* Boston: Marshall Jones Company, 1924.

Powers, Stephen. *Tribes of California.* Contributions to North American Ethnology, vol. 3. Washington, D. C.: Government Printing Office, 1877.

Prince, John Dyneley. *Passamaquoddy Texts.* New York: G. E. Stechert & Co., 1921.

Rasmussen, Knud. *Eskimo Folk-Tales.* Trans. and ed. W. Worster. London: Gylendal, 1921.

Schomp, Virginia. *Myths of the World: The Native Americans.* New York: Marshall Cavendish Benchmark, 2008.

Sekaquaptewa, Emory, and Barbara Pepper, ed. and trans. *Coyote and Little Turtle/Iisaw Niqw Yöngösonhoya: A Traditional Hopi Tale.* Based on a story told by Herschel Talashoema. Santa Fe: Clear Light Publishers, 1994.

Spence, Lewis. *The Myths of the North American Indians*. London: G. Harrap, 1914.

Swann, Brian, ed. *Algonquian Spirit: Contemporary Translations of the Algonquian Literatures of North America*. Lincoln: University of Nebraska Press, 2005.

Teit, James Alexander. *Memoir of the American Museum of Natural History, New York*. Vol. 2, pt. 7: *The Shuswap*. Leiden: E. J. Brill, Ltd., 1909.

Thompson, Stith. *Tales of the North American Indians*. Cambridge, MA: Harvard University Press, 1929.

Tigerman, Kathleen, ed. *Wisconsin Indian Literature: Anthology of Native Voices*. Madison: University of Wisconsin Press, 2006.

Wilson, Gilbert L. *Indian Hero Tales*. New York: American Book Company, 1916.

Antecedentes generales

Childs, Craig. *Atlas of a Lost World: Travels in Ice Age America*. New York: Pantheon Books, 2018.

Culin, Stewart. "Games of the North American Indians". In *Twenty-Fourth Annual Report of the Bureau of American Ethnology of the Smithsonian Institution*, pp. 1-846. Washington, D. C.: Government Printing Office, 1907.

Gugliotta, Guy. "When Did Humans Come to the Americas?". Smithsonian.com, February 2013. <https://www.smithsonianmag.com/science-nature/when-did-humans-come-to-the-americas-4209273/>.

Worrall, Simon. "When, How Did the First Americans Arrive? It's Complicated". *National Geographic,* 9 June 2018. <https://www.nationalgeographic.com/news/2018/06/when-and-how-did-the-first-americans-arrive--its-complicated-/>.